GLENDALE PUBLIC LIBRARY, CA
3 9010 05600 2409

D1107580

Guía de medicina alternativa para

niños

Medicina convencional • Medicina tradicional china • Homeopatía • Fitoterapia

Guía de medicina alternativa para niños

4 enfoques medicinales para las dolencias infantiles más comunes

Christine Gustafson, doctora en Medicina
Zhuoling Ren, doctora en Medicina tradicional china
Beth MacEoin, experta en salud materno-infantil y homeopatía
David Kiefer, doctor en Medicina

Título original: *The Alternative Medicine Source Book for Kids*

Traducción: Tatiana Vargas Löwy

Publicado por acuerdo con Marshall Editions
The Old Brewery 6 Blundell Street
London N7 9BH
www.quarto.com

Editora jefa: Claire Waite Brown
Correctora (en texto inglés): Sarah Hoggett
Diseñador: John Grain
Asistente de diseño: Martina Calvio
Búsqueda de imágenes: Sarah Bell
Asistente editorial: Georgia Cherry
Índice: Diana LeCore
Directora de arte: Caroline Guest
Directora creativa: Moira Clinch
Editor: Paul Carslake

De la presente edición en castellano:

Alquimia, 6 - 28933 Móstoles (Madrid)
España
Tels.: 91 614 53 46 - 91 614 58 49
www.alfaomega.es
E-mail: alfaomega@alfaomega.es

Primera edición: septiembre de 2016

Depósito legal: M. 12.013-2016
I.S.B.N.: 978-84-8445-606-3

Impreso en China

Aviso

La información contenida en este libro no sustituye a la atención médica profesional. Los consejos aquí ofrecidos se basan en la capacitación, la experiencia y la información de la que disponen los autores. Cada situación personal es única, razón por la cual tanto los autores como el editor instan a los lectores a consultar a un profesional de la salud ante cualquier duda sobre una enfermedad o su tratamiento.

Dado que siempre existe un riesgo implícito, los editores no se hacen responsables de ninguna consecuencia o efecto adverso derivado del uso de cualquiera de los tratamientos descritos en el libro. Por favor, no utilices este libro si no estás dispuesto a asumir dicho riesgo. Consulta a un médico o profesional de la salud cualificado para un asesoramiento personalizado. Incluso tu propia opinión sobre tu estado o el tratamiento necesario debe ser confirmada con una segunda opinión de un profesional de la salud.

Los estudios de investigación y las instituciones citadas en este libro no deben en ningún caso ser tomadas como respaldo o aval de lo expuesto en él. Los autores y el editor quedan eximidos expresamente de toda responsabilidad frente a cualquier efecto adverso ocasionado por el uso o aplicación de la información aquí contenida.

ÍNDICE

PRÓLOGO

Guía de medicina alternativa para niños es un proyecto ambicioso que te ofrece una amplia perspectiva sobre las 25 dolencias más habituales en la infancia. Cada sección está redactada por profesionales especializados en medicina convencional occidental, en medicina tradicional china, en homeopatía y en fitoterapia, que explican las distintas formas de tratar estas enfermedades agudas: desde la costra láctea hasta la varicela, pasando por los cólicos, el dolor de oídos o la fiebre. Este libro también sugiere tratamientos holísticos y naturales para ciertos trastornos crónicos como son el eczema o el asma.

La presente guía te permitirá profundizar y ampliar tus conocimientos sobre la medicina alternativa. Sin embargo, es importante que seas consciente de los límites del autodiagnóstico y de la automedicación. Por este motivo, siempre se te advierte cuándo es necesario consultar a un experto, cuándo la medicina convencional puede ser más eficaz que la homeopatía o la fitoterapia y cuándo un problema requiere una evaluación y un tratamiento urgentes. Este libro no pretende sustituir a una consulta y unos cuidados médicos convencionales, y mucho menos a la evaluación que solo un profesional puede llevar a cabo. Así que presta mucha atención a las advertencias que existen en cada sección. Si las tienes en cuenta, *Guía de medicina alternativa para niños* te aportará un auténtico caudal de información sobre la salud.

La solidez de esta publicación reside en su flexibilidad y en la variedad de los tratamientos naturales entre los que podrás elegir. Cada dolencia se define con claridad y los síntomas

más comunes se describen con detalle para que puedas diagnosticar la enfermedad con exactitud. Para quienes prefieran seguir el enfoque de la medicina convencional, existe una descripción breve y minuciosa de esos tratamientos. Sin embargo, dichos consejos siempre vienen acompañados de las recomendaciones que proponen los expertos en terapias complementarias, permitiendo que conozcas la forma en que otras tradiciones encaran esa misma dolencia. Al abordar un mismo problema de salud desde cuatro enfoques distintos, aprenderás a desarrollar una visión holística más completa sobre cómo puedes sanar tu cuerpo.

Los tratamientos, comprobados por los autores, incluyen plantas, dietas y fármacos, y explican cuándo es más recomendable un té, una cataplasma, una compresa o una decocción. Aunque el libro se centra principalmente en tratamientos físicos y biológicos, también proporciona consejos preventivos para seguir un estilo de vida más saludable, así como terapias cuerpo-mente.

Guía de medicina alternativa para niños ofrece las herramientas y las técnicas más apropiadas para tratar eficazmente estas dolencias sin salir de casa, pero no esperes a que tu hijo caiga enfermo: echa un vistazo a los problemas que tu familia ya haya padecido y descubre cómo pueden tratarse desde un enfoque más natural. Muchos de los consejos apuntan a llevar una vida más saludable para proteger a los pequeños de las enfermedades. Como dijo un anciano chino, «el experto trata una enfermedad antes de que ocurra». Con la *Guía de medicina alternativa para niños* te adentrarás en un viaje apasionante a través de la salud y el aprendizaje.

INTRODUCCIÓN

Guía de medicina alternativa para niños es un inestimable recurso para elegir tratamientos médicos en un formato intuitivo y muy visual. Se recogen más de 25 dolencias habituales de la infancia, agrupadas de acuerdo con su tipología (por ejemplo, enfermedades de la piel y el pelo o que requieren primeros auxilios). De cada dolencia se explica su diagnóstico, los síntomas más comunes y los objetivos del tratamiento. Le siguen los distintos remedios que recomiendan las cuatro disciplinas de la salud —la medicina convencional, la medicina tradicional china, la homeopatía y la fitoterapia—, lo cual te permitirá comparar los distintos enfoques y consultar al profesional de la salud que mejor pueda asesorarte para dar con el tratamiento más adecuado para el niño.

MEDICINA CONVENCIONAL

La práctica de la medicina implica recurrir a la evidencia científica como requisito antes de aplicar el conocimiento médico y el juicio clínico. Los médicos han recibido una extensa formación en la universidad y el sistema hospitalario, que les capacita para diagnosticar una enfermedad con exactitud.

La relación con el paciente implica, primero, recabar datos de acuerdo con su historial médico, realizarle una evaluación física y llevar a cabo las pruebas necesarias: radiografías o análisis de sangre u orina. Estos datos son analizados y evaluados para desarrollar un plan de tratamiento, que puede sufrir modificaciones si la evolución del paciente así lo marca.

Los tratamientos recomendados a menudo contienen fármacos que requieren de receta médica.

MEDICINA TRADICIONAL CHINA

La medicina tradicional china (MTC) considera que la enfermedad surge cuando se altera el equilibrio interno de una persona, que depende del Qi (energía interna), la sangre y los fluidos del cuerpo. Nuestra salud también implica estar en armonía con la naturaleza: esto incluye las cuatro estaciones y los elementos (calor, frío, humedad, sequedad y viento). Por lo tanto, una erupción roja e inflamada es «caliente» y se trata con remedios fríos, mientras que una tos ferina es «húmeda» y precisa la utilización de hierbas que disipen la humedad.

En los niños, el tratamiento MTC puede implicar combinar remedios de plantas con acupresión. El principio es estimular la circulación del Qi, la sangre y los fluidos para atenuar los factores patógenos (frío, calor, humedad, etc.) y restablecer el equilibrio entre los órganos internos y externos.

Cuando se recomienda una tisana, el sentido común nos dicta que hay que dejar que se enfríe para que el niño no se abrase.

HOMEOPATÍA

El principio fundamental de la homeopatía es el de similitud. En un proceso parecido al de la inmunización, la homeopatía consiste en administrar cantidades muy diluidas de una sustancia para estimular la curación. Resulta reconfortante saber que no existen límites de edad para que un tratamiento homeopático resulte pertinente, por lo que cualquier persona, desde los bebés hasta los ancianos, puede beneficiarse de este sistema de curación. Para elegir el mejor remedio, debes tomar nota de los síntomas y evaluar la velocidad con la que han aparecido; si ha habido factores desencadenantes; la localización y el grado del dolor; el momento del día en el que se vuelve más intenso y cualquier reacción emocional del niño. Contrasta después los síntomas con los que se describen en las secciones de homeopatía de este libro. Si no existe una clara correspondencia, el remedio no surtirá efecto.

Los remedios homeopáticos de primeros auxilios son 6c, 30c, 6x, o 30x. Los síntomas leves de reciente aparición responden bien a un remedio 6c. Los problemas que se han desarrollado lenta e insidiosamente durante días, y no durante horas, responden mejor con una potencia 30c más fuerte. Puedes aplicar la misma lógica con 6x y 30x si son las únicas potencias disponibles. A diferencia de la medicina convencional, que traza un plan de tratamiento, la homeopatía supone tomar el remedio apropiado durante un corto periodo.

FITOTERAPIA

La fitoterapia es una práctica médica tradicional que se basa en el uso de plantas y de extractos de plantas. Gran parte de la farmacología actual tiene una gran deuda con la herbología, puesto que muchos de los fármacos provienen de plantas con un largo historial de utilización medicinal. La dosificación y el uso dependen del síntoma específico de cada paciente, de su gravedad, del gusto personal o de la presentación en la que se ofrece la planta (por ejemplo, fresca o desecada). Un fitoterapeuta puede recomendar un tratamiento en forma de té, tintura, cataplasma o cápsulas. Conviene señalar que en niños es preferible el uso de tinturas, o extracto líquido, y con maceración en glicerina mejor que en alcohol. Es importante leer atentamente las etiquetas para elegir el producto más adecuado. En este libro el término *tintura* por defecto se refiere a tinturas de glicerina, a no ser que se especifique lo contrario. En el caso de los tés, deberás servirlos a una temperatura adecuada para el niño.

Existen distintas tendencias en lo que al uso de plantas —o por qué no, de todos los medicamentos— se refiere. Pero años de experiencia han demostrado que algunas plantas pueden ser de ayuda y completamente seguras para tratar enfermedades infantiles. Consulta siempre con un fitoterapeuta las dosis específicas que necesitas para tratar la enfermedad de tu hijo.

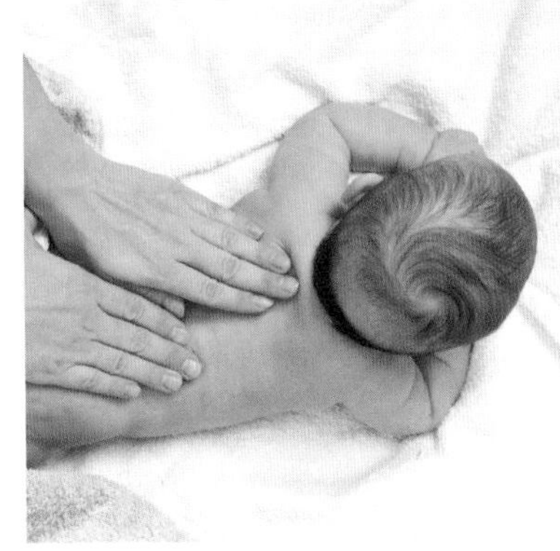

Dolencias y remedios

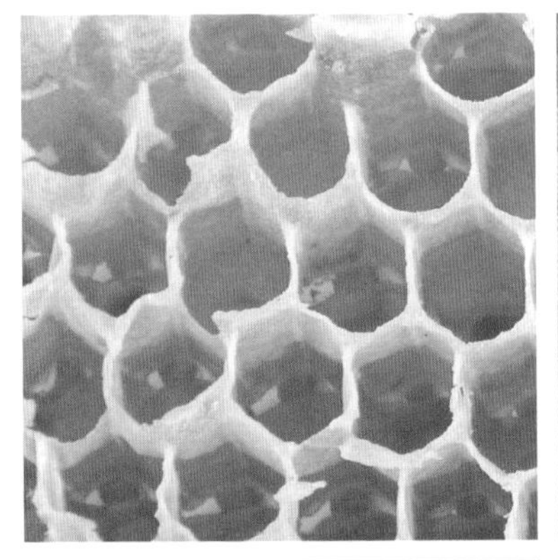

COSTRA LÁCTEA

SÍNTOMAS

- Produce sequedad, descamación o costra de color amarillo, naranja o marrón oscuro en el cuero cabelludo, que puede volverse sólida y espesa.
- Suele cubrir la fontanela o parte blanda de la cabeza de los bebés.
- Genera una acumulación de piel muerta que parece caspa y es perceptible a simple vista.
- Las zonas afectadas suelen enrojecer e irritarse.
- La descamación puede afectar a la frente, la parte posterior de las orejas e incluso a la zona que rodea las cejas.
- Las costras pueden desprender mal olor y acumular pus debajo.

DIAGNÓSTICO

La costra láctea es una irritación cutánea inocua que afecta al cuero cabelludo de los niños pequeños y que aparece por un exceso de sebo, que es la grasa que producen las glándulas sebáceas. Surge entonces una acumulación en forma de costra untuosa en el cuero cabelludo que, en ocasiones, puede extenderse a otras zonas. También puede producir un eczema. No hay que quitar las placas ni frotarlas con fuerza, ya que podríamos causar dolor, sangrado e incluso infecciones. Para eliminar las escamas de piel sueltas, se puede usar un cepillo suave, pero es mejor no intervenir demasiado ni lavar en exceso el pelo del niño porque se entorpece la curación.

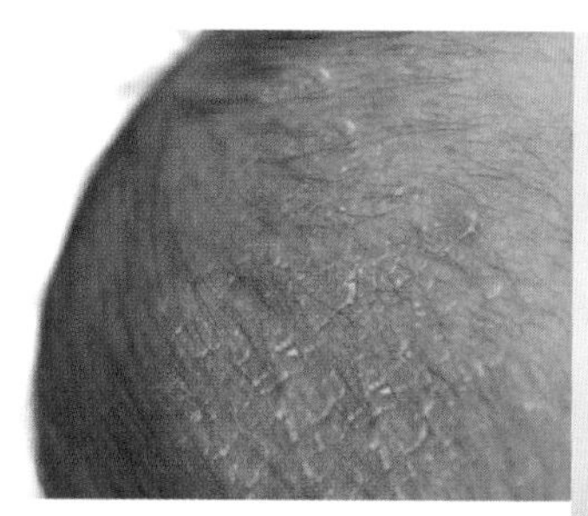

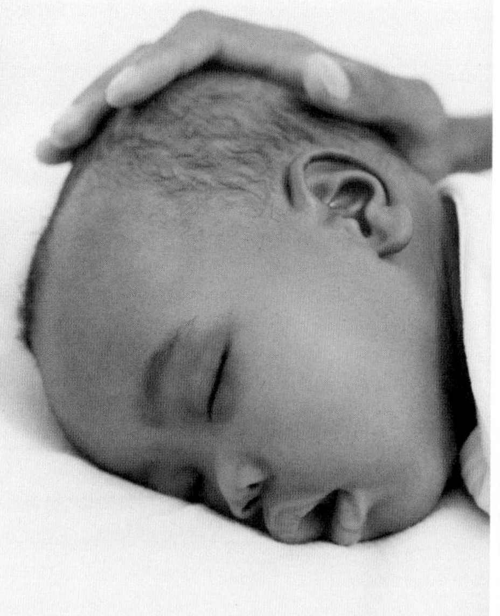

Los síntomas de la costra láctea suelen desaparecer en el plazo de uno a ocho meses.

OBJETIVO DEL TRATAMIENTO

El tratamiento consiste en aliviar las molestias que causa la irritación y prevenir que la zona se infecte.

MEDICINA CONVENCIONAL

El término médico que designa la costra láctea es *dermatitis seborreica*. Se desconoce su causa exacta, pero es una afección muy común. Existe una relación entre la costra láctea y la multiplicación de una levadura que coloniza la piel, la *Pityrosporum ovale*, pero también influye el aumento de la actividad de las glándulas sebáceas. Este cuadro es más común en ambientes fríos y secos, y tiene un componente hereditario. Aunque pueda surgir de forma espontánea, suele relacionarse con otras dolencias como la deficiencia de zinc, de vitamina B o cualquier enfermedad que reduzca el número o la eficacia de las células que combaten las infecciones.

Champú no farmacológico: La costra láctea suele remitir sola en el plazo de uno a ocho meses. La primera opción como tratamiento es un champú suave no medicado. No conviene utilizar en niños champús antiseborreicos ni a base de alquitrán, porque son demasiado agresivos. En cambio, podemos frotar suavemente la piel para eliminar las escamas. Esta afección suele aparecer en la zona blanda de la cabeza de los bebés porque a los padres les da recelo tocarlos allí.

Champú o crema farmacológica: Si la irritación no mejora, la segunda opción de tratamiento es un champú o crema al 1% de ketoconazol, que elimina y detiene el crecimiento de los hongos. La crema contiene sulfitos, que pueden producir reacciones alérgicas, a veces graves. Debemos evitar el contacto con los ojos. Con este tratamiento, la costra láctea debería desaparecer en unos días. Es un tratamiento que puede usarse en niños, aunque es preferible recurrir a otros más suaves.

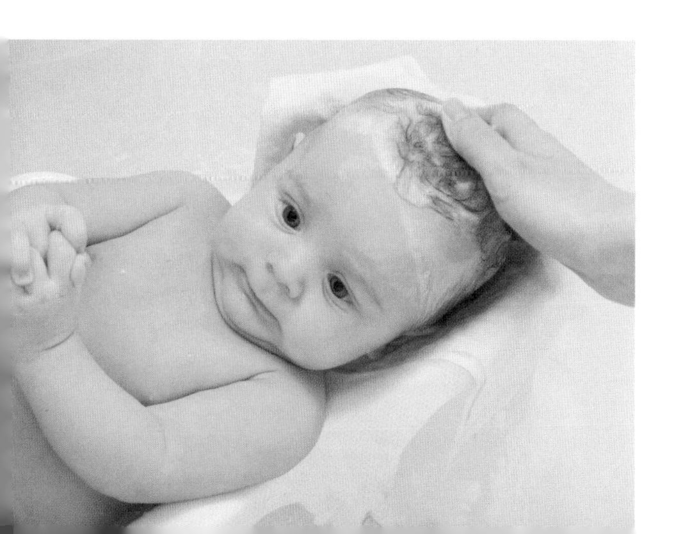

CONSEJO

AIRE FRESCO

No cubras la cabeza del niño; exponla al aire libre siempre que sea posible.

Si la afección se resiste, podemos utilizar un champú farmacológico.

MEDICINA TRADICIONAL CHINA

Plantas: Pon a hervir 30 g de Xin Ren (semilla de albaricoque) con 30 g de Tao Ren (semilla de melocotón) en 4 tazas de agua durante 30 minutos, cuélalo y deja enfriar el líquido hasta que alcance una temperatura ligeramente superior a la del cuerpo. Empapa un paño limpio y aplícalo en la costra hasta humedecerla, durante 5 a 10 minutos. Retira con cuidado el paño y seca la zona con una bolita de algodón. Aplica después una fina capa de aceite de oliva en la zona afectada. Repite el proceso una vez al día durante 3 días, dejando que las costras se desprendan de forma natural.

Las semillas de albaricoque y de melocotón sirven para lavar y calmar la zona.

Acupresión: Presiona los puntos Feng Chi, situados a ambos lados del centro de la base del cráneo, en la parte posterior de la cabeza. Se encuentran a unos 5 cm a cada lado de la columna, alineados con el nacimiento del pelo. Presiónalos con los pulgares y masajéalos en círculo suavemente durante 1 minuto 2 veces al día.

HOMEOPATÍA

Los remedios homeopáticos pueden administrarse con total seguridad en recién nacidos.

Si la costra láctea se irrita más al cubrirla, usa una dilución homeopática de *Lycopodium.*

Natrum mur: Si la costra láctea afecta a la zona donde empieza el cuero cabelludo, usa *Natrum mur*. La piel tiende a volverse seca y sensible, agrietándose en las comisuras de la boca o bajo el labio inferior.

Graphites: Si las costras húmedas supuran, *Graphites* puede ser una buena ayuda. Las costras son de un espesor característico y la cabeza transpira en exceso. También es posible que los pliegues de la piel se agrieten y se sequen.

Lycopodium: Usa este remedio si la costra se irrita y pica más al cubrir la cabeza. Las erupciones de la cabeza suelen ser más parduzcas y escamosas, como una caspa copiosa. La irritación y el picor disminuyen al dejar al aire la zona afectada.

Rhus tox: Puede aliviar el picor si este se intensifica por las noches impidiendo el descanso. El picor aumenta cuando el niño tiene calor, aunque un ambiente frío y húmedo también perjudica su estado. El niño frota la zona y se rasca compulsivamente, lo cual hace que la costra se vuelva húmeda y supure.

FITOTERAPIA

Los remedios de hierbas para tratar este problema se basan en que existen anomalías en las glándulas sebáceas que implican una inflamación de la piel o una infección por hongos. Existen numerosas plantas que pueden resultar de gran utilidad. Tu fitoterapeuta debe descartar una infección fúngica causada por la *Tinea capitis,* que produce una costra similar a la láctea en bebés y niños, y para la cual hay otros tratamientos más adecuados.

Raíz de bardana: Para calmar la inflamación y propiciar la curación, se puede aplicar directamente en la piel una cataplasma de raíz de bardana macerada.

Caléndula y manzanilla: Son plantas antiinflamatorias de uso tópico, que calman la inflamación sintomática de esta dolencia. Estas flores se presentan en forma de cremas de fácil aplicación en la zona inflamada. Su acción es lo bastante suave como para usarla en bebés.

Aceite de oliva: Masajear el cuero cabelludo con una pequeña cantidad de aceite de oliva es suficiente para aliviar al niño y calmar la inflamación.

Para aliviar el cuero cabelludo, masajéalo con aceite de oliva.

CONSEJO

PLÁTANO CON VIOLETA Y LAVANDA

Prueba a lavar la zona con una infusión de hojas de plátano, hojas y flores de violeta y flores de lavanda.
En 5 tazas de agua hirviendo, añade las plantas a partes iguales, unos 25 o 30 g de cada una. Deja infusionar durante 5 minutos, cuela el líquido resultante y, cuando se enfríe, exprime las hierbas hasta escurrir todo el agua. Lava con cuidado la cabeza del niño con un paño suave impregnado en esta infusión.

DERMATITIS DEL PAÑAL

SÍNTOMAS

- La piel de la zona del pañal muestra erupciones e inflamación.
- El aspecto de la piel es más tirante y brillante.
- Se produce descamación.
- Aparece un sarpullido de color rojo intenso alrededor del ano.
- Surgen manchas rojas e irritación en los pliegues de las piernas e ingles.
- Se nota un fuerte olor a pescado.
- Si la erupción se infecta pueden salir ampollas y granitos de pus.

DIAGNÓSTICO

La dermatitis del pañal es un tipo de dermatitis irritativa que aparece por el contacto con la orina y el calor, y se agrava a causa de las rozaduras del pañal. El síntoma más común es que la zona se irrita y enrojece. Se desencadena bien por dejar demasiado tiempo el pañal mojado o sucio, haciendo que la piel se caliente en exceso, bien por abusar de las toallitas húmedas y las lociones de higiene. Algunos bebés desarrollan esta dermatitis al iniciar la dieta sólida, como reacción a cierto tipo de comida de difícil digestión como las frutas cítricas, los guisantes o las uvas. En ciertos casos, la dermatitis del pañal puede agravarse y volverse muy molesta para el bebé, e incluso llegar a infectarse por bacterias u hongos. Es importante tratar este cuadro, aunque casi siempre podremos hacerlo en casa.

OBJETIVO DEL TRATAMIENTO

Identificar y eliminar la causa del sarpullido, y aliviar rápidamente sus síntomas.

Incluso el zumo de naranja diluido puede causar esta erupción.

MEDICINA CONVENCIONAL

Las causas más comunes de la dermatitis del pañal son la *Candida* (levadura), la dermatitis irritante y la seborreica, y la infección bacteriana. El tratamiento depende de su causa.

Prevención: Cambia los pañales tan pronto como se ensucien y evita la ropa interior impermeable. Limpia la piel, elimina cualquier rastro de orina o heces y sécala minuciosamente en cada cambio de pañal. Comprueba qué marca de pañales puede producir la reacción. A menudo la irritación se agrava por alergias alimentarias, así que puede ser útil eliminar la caseína (proteína de la leche) de la dieta e introducir la leche de soja o de arroz.

Cremas de uso tópico: Para tratar la dermatitis irritativa o de contacto, podemos usar cremas con óxido de zinc o pomadas con vitaminas A y D. Si estas no funcionan, puede probarse la hidrocortisona tópica de baja potencia.

Antibióticos: Si el médico diagnostica una infección bacteriana, podemos aplicar una pomada antibiótica como la mupirocina. En caso de resistencia a los antibióticos tópicos, el tratamiento será con eritromicina o penicilina.

Pomada de nistatina: La dermatitis del pañal causada por la *Candida* se trata con una pomada de nistatina, que puede usarse junto a la hidrocortisona tópica.

CONSEJO

TOMA MEDIDAS PREVENTIVAS

Tras bañar al bebé, sécalo con cuidado pero meticulosamente y trata de que la piel permanezca al aire todo lo posible. Deja al pequeño sin pañal tantas veces como puedas y cámbialo frecuentemente para evitar que la piel esté en contacto con las heces o la orina, ya que esa situación puede empeorar el estado de una piel ya irritada.

Los cambios de pañal frecuentes mantienen la dermatitis a raya.

MEDICINA TRADICIONAL CHINA

Plantas: Estos remedios de hierbas, de uso interno o externo, pueden reducir el picor y curar el sarpullido. Se trata de especies que pueden usarse en bebés.

- *Remedio interno:* Añade 8 g de Jin Yin Hua (flor de madreselva), 3 g de Shen Gan Cao (raíz de regaliz) y 3 g de Bo He (*Mentha arvensis*) a 3 tazas de agua hirviendo. Deja infusionar durante 5 o 10 minutos, y luego cuélalo. Dale a tu bebé 2 o 3 cucharillas de esta infusión diluida en el biberón 3 o 4 veces al día durante 5 días seguidos. Si la erupción empeora, interrumpe el tratamiento y consulta a un médico.
- *Remedio externo:* Añade, a 4 o 5 tazas de agua, 15 g de She Chuang Zi (semilla de *Cnidium*), 15 g de Di Fu Zi (ciprés de escobedo), 12 g de Jing Jie (tallos y capullos de *Schizonepeta*), 15 g de Fang Fen (raíz de *Ledebouriella*) y 15 g de Xin Ren (semilla de albaricoque) en un cazo de cerámica o cristal; llévalo a ebullición, apaga el fuego y deja infusionar de 15 a 20 minutos. Filtra la decocción y dilúyela en agua templada en una bañera. Baña a tu bebé con cuidado todo el tiempo que puedas y sácalo cuando deje de disfrutar del baño. No lo aclares. Sécalo concienzudamente con una toalla suave de algodón. Repite este proceso diariamente. Si ves cualquier señal de molestia en el pequeño, aclárale el cuerpo e interrumpe el tratamiento.

En la medicina china se utilizan todas las partes de la madreselva. El Jin Yin Hua se obtiene secando sus flores.

Acupresión: Presiona el punto Nei Guan, que se localiza en el centro de la muñeca, del lado de la palma de la mano, a 5 cm del pliegue de la muñeca. El punto San Yin Jiao se encuentra a unos 7 cm del hueso del tobillo, en el centro de la parte interna de la pierna. Presiona durante 1 minuto.

Podemos aliviar al bebé con un tratamiento externo en un baño caliente.

HOMEOPATÍA

Cualquiera de los siguientes remedios homeopáticos puede mejorar una dermatitis del pañal leve y reciente. La inflamación, la irritación, el dolor y el malestar deberían calmarse en un día aproximadamente. Si la afección es más importante y los síntomas persisten, deberás seguir las indicaciones de un homeópata experto.

Belladona: Este remedio resulta práctico al surgir los primeros síntomas de una dermatitis del pañal, en especial si su irrupción ha sido repentina y llamativa: manchas de un rojo intenso, inflamadas y calientes al tacto. Los bebés tranquilos se vuelven irascibles y malhumorados.

Cantharis: Debido a la falta de sueño, el bebé está somnoliento y malhumorado durante el día. Si la dermatitis le produce sufrimiento durante las noches y la erupción le escuece en contacto con la orina, usa *Cantharis*.

CONSEJO
DIETA

Las madres lactantes deben ingerir alimentos frescos como verdolaga, judía mungo, lechuga, mango, pepino, berenjena, espinacas, fresas y peras.

FITOTERAPIA

Ungüentos: Podemos utilizar hierbas medicinales en forma de ungüento para formar una barrera protectora entre la piel y el pañal, y aliviar el enrojecimiento, la irritación y la inflamación. Los ungüentos a base de hojas de plátano, flores de violeta y de gordolobo tienen propiedades antisépticas, antiinflamatorias y un efecto calmante que ayuda a mitigar los síntomas de la dermatitis del pañal. Otros, preparados con flores de caléndula, ya sea en forma homeopática o como ingrediente de lociones y pomadas, tienen numerosas propiedades regeneradoras.

Emolientes: Este tipo de plantas contienen componentes viscosos que forman una capa protectora y calmante para la piel: aloe vera, corteza de olmo rojo, raíz de malvavisco, alholva, álsine y hojas o raíz de consuelda, utilizados en cataplasmas, cremas o lociones.

ECZEMA

SÍNTOMAS

- Enrojecimiento, sequedad y descamación de la piel de la cara, axilas, codos, manos y rodillas.
- Inflamación y picor de piel.
- Granitos pequeños y rojos.
- Zonas de la piel secas y escamosas.
- El niño se rasca y araña las zonas irritadas.
- Aparecen vesículas y fisuras, a veces con sangrado.
- Llagas con una leve secreción acuosa, amarillenta o con costras.
- Alteración del ritmo de sueño.

OBJETIVOS DEL TRATAMIENTO

Al identificar los alérgenos que causan los brotes y aliviar las molestias de la irritación cutánea, se puede prevenir el ciclo de picor-rascado-picor y evitar una posible infección.

DIAGNÓSTICO

El eczema es una inflamación de la piel que causa picor y molestias, especialmente en los niños. Aunque se trata de una dolencia impredecible y resulta difícil establecer su causa, el factor desencadenante puede ser el estrés, el polvo, el polen, el pelo de las mascotas, las alergias alimentarias y otros agentes ambientales. Tiene una estrecha relación con el asma y la alergia al polen. Existen diferentes tipos de eczema, siendo los más habituales el eczema por contacto, que surge cuando la piel entra en contacto con un alérgeno, y el eczema atópico, para el que existe una predisposición genética.

MEDICINA CONVENCIONAL

Identificar los factores desencadenantes: Evita todos los desencadenantes conocidos. Los más comunes son los alimentos (especialmente los lácteos y el gluten) y los alérgenos ambientales como los ácaros del polvo y la caspa de las mascotas. Para identificar los alimentos que pueden desencadenar el eczema, se deben realizar pruebas de alergias alimentarias.

Dieta: Los ácidos grasos esenciales (EPA/DHA o el aceite de pescado) reducen los mediadores de la inflamación del cuerpo. Administra aceite de pescado 2 o 3 veces a la semana o bien 4 g de suplementos de aceite de pescado omega-3 diariamente para mejorar el cuadro y reducir los brotes.

La piel puede inflamarse e irritarse.

Esteroides tópicos: Si persiste la inflamación, pueden recetarse esteroides tópicos como hidrocortisona y triamcinolona acetónido, que son pomadas de potencia media. Si no fueran efectivas, se puede pasar a pomadas de esteroides de potencia alta, como la beclometasona dipropionato y la fluocinonida. Siempre se debe elegir la potencia más baja, debido a los efectos secundarios de los esteroides tópicos.

Prescripción médica: Se puede recetar la prednisona oral o la triamcinolona intramuscular, pero tienen efectos secundarios como alteraciones en la función inmune, inestabilidad emocional, cambios de peso e intolerancia a la glucosa. En los cuadros más resistentes, se puede prescribir ciclosporina, un agente quimioterapéutico potente, un tipo de fármaco que altera el ADN de las células. Este tratamiento solo se receta en casos muy graves por especialistas y después de probar otras alternativas.

Antibióticos: Si se desarrollan infecciones secundarias, es necesario recibir atención médica. Los médicos, en estos casos, no suelen realizar un cultivo de la piel, porque el 90 % de los pacientes presentan colonización por estafilococo áureo en la piel, sin que necesariamente exista una infección. El estafilococo es la bacteria más frecuente en las infecciones, pero la *Streptococcus pyogenes* también puede producir una infección en caso de eczema. Debe suministrarse un antibiótico que combata ambas bacterias, como eritromicina, cefalexina o dicloxacilina.

CONSEJO

EVITA LOS PRODUCTOS DE HIGIENE PERFUMADOS

Evita el contacto con sustancias que puedan desencadenar reacciones alérgicas. Ten cuidado con los productos de higiene que usas con los pequeños y evita siempre los muy perfumados.

MEDICINA TRADICIONAL CHINA

Para tratar un eczema, lo más habitual es un remedio de hierbas para uso interno y externo que drene la humedad y disminuya el calor. Consulta a tu médico antes de prolongar el tratamiento.

Plantas:

- *Té Jin Yin Hua:* Mezcla en una tetera 10 g tanto de hierbas Jin Yin Hua (madreselva) como de Jin Lian Hua (flor de loto dorado). Añade 3 o 4 tazas de agua caliente y deja infusionar 5 minutos. Hay que dejarlo enfriar, colarlo y beber media taza 3 veces al día.
- *Cápsulas Long Dan Xie Gan Wan:* Como tratamiento para el eczema crónico, estas hierbas pueden utilizarse durante semanas e incluso meses.

Comer arándanos es bueno para el eczema.

• *Emplasto de hierbas:* Mezcla 10 g de Huang Bai (Phellodendron), 8 g de Da Huang (raíz y rizoma de ruibarbo), 10 g de Huang Lian (raíz de coptis), 10 g de Huang Qin (raíz de escutelaria) y 15 g de Di Yu (raíz de Sanguisorba officinalis). Añade aceite de oliva para hacer un emplasto y aplícalo en la zona afectada una vez al día durante 7 días.

Dieta: Se recomienda comer fruta como peras, arándanos y plátanos. Evita comidas abundantes y con mucha grasa.

HOMEOPATÍA

Debido a su complejidad, el eczema debe ser tratado por un médico homeópata experto. Los siguientes remedios son solo una muestra de los tratamientos que puede sopesar un homeópata.

Petroleum: Se usa para tratar una piel seca y áspera que se lesiona con facilidad y se regenera lentamente. Los síntomas incluyen zonas que pican y arden, erupciones cutáneas en especial en los pliegues de la piel, una comezón tan exasperante que puede llevar a rascarse compulsivamente y lesionar la piel hasta hacerse sangre.

Sulphur: Para tratar un picor intenso, una piel inflamada que reacciona mal al contacto con el agua y empeora con el calor, *Sulphur* es un remedio clásico. Úsalo en pieles secas, ásperas, escamosas y que se infectan con facilidad, y también cuando la sensación de calor tras rascarse es especialmente molesta durante el sueño.

Graphites: Si, después de rascarse, la zonas que pican exudan un líquido amarillento y la piel parece irritada y en carne viva, o se forma una costra de color miel al secarse, *Graphites* es el remedio más indicado. Las zonas más afectadas son los pliegues de la piel y el contorno de la boca, nariz, orejas y pezones, donde la piel tiene tendencia a agrietarse.

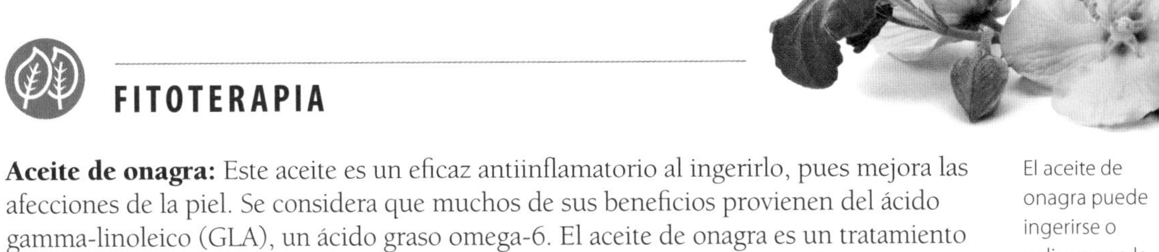

FITOTERAPIA

Aceite de onagra: Este aceite es un eficaz antiinflamatorio al ingerirlo, pues mejora las afecciones de la piel. Se considera que muchos de sus beneficios provienen del ácido gamma-linoleico (GLA), un ácido graso omega-6. El aceite de onagra es un tratamiento muy común para la dermatitis atópica de los niños, pero el fitoterapeuta debe establecer la dosis adecuada. Las cremas de uso tópico a un 12,5 % de aceite de onagra han demostrado mejorar los síntomas del eczema.

El aceite de onagra puede ingerirse o aplicarse en la piel.

Caléndula: Para calmar la piel y aliviar el enrojecimiento y la irritación, podemos usar cremas y lociones a base de extractos de caléndula, pero también podemos preparar una cataplasma con sus flores.

Emolientes: Se pueden hacer cataplasmas calmantes, cremas y lociones con aloe vera, olmo rojo, raíz de malvavisco, alholva, álsine y hojas o raíz de consuelda. La viscosidad característica de estas plantas formará una capa que cubrirá la piel, preservando sus aceites naturales, y aliviará los síntomas del eczema.

Avena molida: Podemos usar avena para calmar la inflamación, el picor, el enrojecimiento y la descamación asociados con el eczema o con otras formas de dermatitis. Mezcla 1 taza de avena con suficiente agua caliente como para crear una pasta que habrá que dejar macerar de 5 a 10 minutos. Con un paño mojado en el líquido de esta pasta, da toquecitos en la piel varias veces al día. Se formará una película con efectos calmantes: cuidado, porque este tratamiento puede pegarse a la ropa. También podemos aplicar directamente la pasta en la piel de 10 a 15 minutos. Otro tratamiento para calmar la zona afectada es añadir una taza de avena al agua de la bañera.

Puedes usar la avena en un baño o aplicarla en la piel.

Para tratar eczemas húmedos: Otra forma de tratar un eczema es considerar si es seco o húmedo. Algunos fitoterapeutas apuntan a que muchos errores en el tratamiento surgen por no tener en cuenta este principio. Usar plantas como el roble para los eczemas húmedos es una manera de seguir este enfoque. La corteza de roble es astringente por naturaleza, por su alta concentración de taninos. Puedes hacer una decocción de corteza de roble y aplicarla como apósito siguiendo las instrucciones del fitoterapeuta. Para obtener mejores resultados, deberás hacer la decocción diariamente y usarla ese mismo día. También podemos usar corteza de malva. Parece haber una relación directa entre el eczema y el tracto digestivo, por lo que en caso de estreñimiento puede ser necesario un tratamiento interno.

ICTERICIA

SÍNTOMAS

- El blanco de los ojos se vuelve amarillo.
- La piel se torna amarillenta.
- La orina es más oscura de lo normal.

DIAGNÓSTICO

La ictericia no es una enfermedad en sí, sino el resultado de un trastorno en otra parte del cuerpo, normalmente el hígado, que lleva a que la piel y el blanco de los ojos se vuelvan amarillos. Es un cuadro grave, y siempre debe consultarse a un médico para que identifique y trate la causa subyacente. Puede ser necesario un análisis de sangre para su diagnóstico. Este trastorno es bastante común en los niños recién nacidos, especialmente en los prematuros, debido a la inmadurez de sus hígados, incapaces de hacer frente a la mayor destrucción de glóbulos rojos de las primeras semanas de vida. La fototerapia, la exposición a una potente luz ultravioleta, suele ser suficiente para tratar la ictericia.

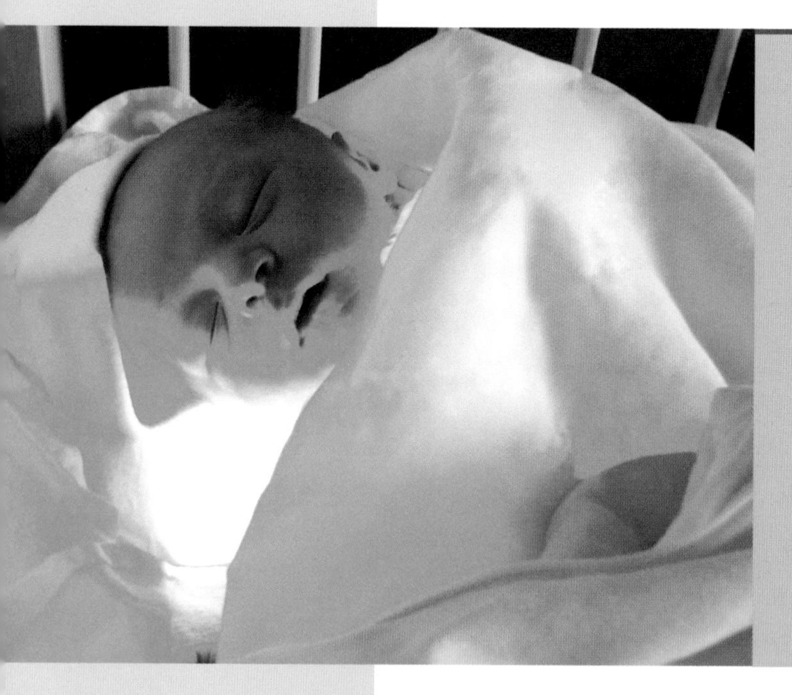

La fototerapia es un tratamiento habitual.

OBJETIVOS DEL TRATAMIENTO

La ictericia siempre es el indicio de un problema mayor que nunca debe ignorarse. El tratamiento pretende aislar y solucionar su causa. Antes de tratar la ictericia, se recomienda consultar a un profesional.

MEDICINA CONVENCIONAL

En recién nacidos: Un 60 % de los recién nacidos desarrollan ictericia durante la primera semana de vida. La llamada *ictericia fisiológica* normalmente progresa de la cara hacia los pies y se resuelve sola en un plazo de 7 a 10 días. Colocar al bebé a la luz directa del sol (cerca de una ventana, por ejemplo) sin dejar de controlar la temperatura puede ayudar a su curación. Alimentar al niño frecuentemente con leche materna o de fórmula, intercalando tomas de agua esterilizada, ayudará al bebé a mejorar la ictericia a través de las heces y la orina. La lactancia materna puede causar durante la primera semana de vida un tipo de ictericia conocida como *ictericia por leche materna.* Normalmente, se curará sola. Los tratamientos recién descritos son útiles para tratar la ictericia por leche materna.

Ciertas causas poco comunes pero graves de la ictericia del recién nacido pueden ser la anemia hemolítica grave, ciertas infecciones y problemas de conjugación de la bilirrubina, que son enfermedades con las que el bebé habría nacido. Estos casos requieren un tratamiento médico: debes llevar al niño al médico en cuanto aparezcan los síntomas de ictericia para que determine su tipo y su gravedad. Existe, por ejemplo, el kernícterus, que puede producir daños cerebrales debido a un nivel demasiado alto de bilirrubina. El médico probablemente le haga un reconocimiento y te recomiende alimentar al bebé con frecuencia y exponerlo a la luz. También pueden tratarlo con fototerapia: exponer al bebé a luz artificial al menos durante 12 horas al día. Esto casi siempre es suficiente y los beneficios pueden apreciarse en un par de días. Si no funcionara o si el nivel de bilirrubina fuera demasiado alto, mediante una transfusión puede reemplazarse la sangre intoxicada del bebé por una sangre que no tenga niveles tan elevados de bilirrubina.

En niños: En niños pequeños la ictericia suele estar relacionada con un problema del hígado. Estos problemas son variados y complejos, por lo que se debe consultar a un médico. El tratamiento dependerá de la naturaleza exacta del problema, pero puede consistir en fototerapia o dirigirse a controlar la disfunción del hígado.

Una lactancia frecuente puede ayudar al recién nacido con ictericia fisiológica.

MEDICINA TRADICIONAL CHINA

Los tratamientos con hierbas deben llevarse a cabo bajo la supervisión de un médico y tienen mejores resultados al combinarlos con acupresión. Un especialista en medicina tradicional china puede prescribir decocciones más potentes que las que debajo se describen.

Plantas:

- *Té Yin Chen tea:* Yin Chen Hao (*Artemisia capillaries*) es una hierba efectiva para tratar la ictericia. Tiene un sabor amargo, por lo que se puede tomar con Jin Qian Cao (*Lysimachia*), que es dulce. Para hacer un té, poner 5 a 6 g de cada hierba (la dosis para un día) en 2 a 4 tazas de agua hirviendo. Dejar infusionar de 10 a 20 minutos, colar y dejar enfriar. Dar 2 cucharadas 3 o 4 veces al día.
- *Long Dan Xie Gan Wan:* Se pueden tomar estas pastillas chinas patentadas junto con té Yin Chen o por separado, durante un plazo de 3 a 5 días.

Acupresión: Los puntos Hegu se sitúan en las manos, entre el índice y el pulgar. El punto Feng Long está en la espinilla, a medio camino entre la rodilla y el tobillo, a unos 4 cm hacia la parte externa de la canilla. Presiona estos puntos con el pulgar durante 5 minutos 2 o 3 veces al día. Esto ayudará al cuerpo a desintoxicar la humedad y el calor que produce la ictericia.

CONSEJO

DIETA

El agua, las espinacas cocidas, el apio, los brotes de bambú, las semillas de Coix, las carpas, los frijoles rojos y la calabaza china son diuréticos, propicios para tratar la ictericia en niños.

HOMEOPATÍA

Si la ictericia se da en bebés, se debe pedir consejo y tratamiento a un homeópata, que puede colaborar con el médico de familia o del hospital y prescribir los siguientes remedios:

La celidonia puede ayudar si el dolor se intensifica con la actividad del niño y al toser.

Celidonia: Este remedio sirve para tratar los síntomas biliares y la coloración amarillenta. Si el dolor de hígado se desplaza hacia atrás hasta la zona situada entre los omóplatos, y especialmente si se localiza en el omóplato derecho, puedes usar celidonia. Reposar bocabajo puede aliviar al niño, mientras que la actividad y la tos pueden intensificar el dolor.

Lycopodium: Puedes usar este remedio si el dolor y la mialgia son más intensos del lado derecho, con malestar gástrico e hinchazón, pérdida de apetito y dolores que pueden localizarse tras el esternón o entre los omóplatos.

FITOTERAPIA

Todos los casos de ictericia precisan una evaluación rigurosa de la medicina convencional para determinar su causa. La ictericia se asocia con distintas enfermedades graves que pueden poner en riesgo la vida del niño y causar posteriores daños y minusvalías si no se aplica el tratamiento adecuado o si se retrasa por seguir un tratamiento de fitoterapia. Los tratamientos naturistas deben seguirse única y exclusivamente si los prescribe un fitoterapeuta experto. La ictericia infantil puede originarse por múltiples causas y precisa un diagnóstico y unos cuidados específicos.

Tratar la vesícula y los conductos biliares: Existen dos tipos de plantas que se usan en ictericias originadas por problemas en la vesícula o los conductos biliares: coleréticas y colagogas. Las plantas coleréticas hacen que el hígado produzca más bilis y las colagogas, que se expulse la bilis. Ambos tipos de plantas producen un aumento de la bilis, lo cual puede ayudar a limpiar los conductos biliares y la vesícula. Las plantas coleréticas son, entre otras, la raíz de diente de león y la raíz de culver. Las colagogas son la raíz de diente de león, la cúrcuma, el regaliz, la alcachofa, la sanguinaria y la celidonia. Estas plantas, como te aconsejará el fitoterapeuta, tienen mayor efecto si se toman de 20 a 30 minutos antes de las comidas y si el niño no está estreñido. El aumento de la bilis debe acompañarse de deposiciones regulares, para que la bilis pueda eliminarse y no se acumule sin mejorar la ictericia.

La raíz de diente de león es una planta colerética y también colagoga.

PIOJOS

SÍNTOMAS

- El niño se rasca constantemente la cabeza.
- El cuero cabelludo está irritado y enrojecido.
- Se ven puntitos blancos en el pelo del niño, parecidos a la caspa. Son las minúsculas cáscaras de los huevos adheridas al pelo, cerca de la piel.
- Sarpullidos en la nuca y detrás de las orejas.

DIAGNÓSTICO

Los piojos y las liendres son una afección muy común en los niños. Se contagian con mucha rapidez y facilidad pasando de una cabeza a otra, pero no pueden saltar ni volar. Un piojo se alimenta de la sangre que succiona del cuero cabelludo. Al margen de que el pelo esté limpio o sucio, sea largo, rizado o liso, a los piojos les gusta el calor, por lo que viven cerca del cuero cabelludo, trepando por la base del pelo.

Los piojos secretan una sustancia pegajosa para adherir sus huevos, que son difíciles de ver a simple vista, aunque es más fácil detectar sus cáscaras vacías una vez que han eclosionado, lo cual dura entre 7 y 10 días. Por lo contagiosos que son, cualquiera que haya estado en contacto con un niño susceptible de tener piojos debe recibir tratamiento, incluyendo abuelos y niñeras.

OBJETIVO DEL TRATAMIENTO

Una vez confirmada la presencia de piojos, el tratamiento consiste en eliminar tanto los piojos como las liendres y prevenir su propagación.

Los piojos trepan de una cabeza a otra.

MEDICINA CONVENCIONAL

Peinar el pelo mojado: Existen peines especiales para eliminar los piojos y las liendres del pelo, pero es necesario que el pelo esté desenredado por lo que conviene usar mucho suavizante; los acondicionadores a base de aceite de semilla de nim son perfectos, por ser un insecticida y un repelente natural. Peina el pelo de forma metódica, separándolo en secciones y peinando con cuidado de eliminar todos los piojos y liendres de cada sección.

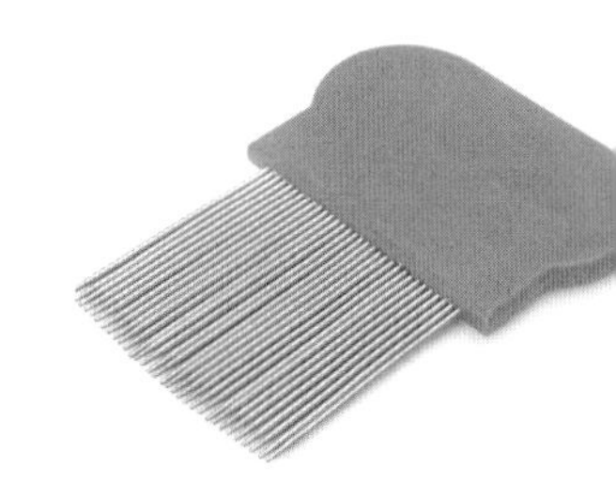

Para eliminar los piojos y sus liendres, existen peines especiales.

Pesticidas: De los de uso tópico, los más naturales son las piretrinas (permetrina), obtenidas del crisantemo y presentes en la mayoría de los tratamientos que se venden sin receta. El malatión es un organofósforo, tóxico para el medioambiente, pero no se ha constatado neurotoxicidad alguna en humanos al usarlo de forma tópica para tratar la infestación por piojos. El lindano es un potente insecticida organoclorado; su uso no es recomendable por los resultados de numerosos ensayos de toxicidad efectuados en ancianos, pero sigue utilizándose en zonas muy reducidas del pelo durante menos de 10 minutos. Las lociones de ivermectina fueron aprobadas en 2012 para pacientes mayores de seis meses.

CONSEJO

TRATA A TODA LA FAMILIA

Aunque solo se infeste un miembro de la familia, se suele recomendar tratar a toda la familia y a cualquier persona que haya estado en contacto con él.

Existen diversos pesticidas para la eliminación de los piojos.

Los piojos pasan fácilmente de un niño a otro.

MEDICINA TRADICIONAL CHINA

Plantas: No es habitual combatir los piojos con remedios de plantas, pero esta fórmula para uso externo puede ser de utilidad. Mezcla 15 g de Bai Bu (raíz de *Stemona*) y 15 g de Jing Jie (tallos y capullos de *Schizonepeta*) en una olla de cerámica. Añade 5 o 6 tazas de agua y déjalo hervir a fuego lento durante 30 minutos, cuela el líquido resultante y pon en remojo el pelo durante 10 minutos, frotando a la vez el cuero cabelludo, que picará menos por su efecto refrescante. Estas plantas pueden acabar con los piojos y sus liendres. Repite este lavado 3 veces cada día.

HOMEOPATÍA

Para casos aislados de contagio de piojos, la prescripción homeopática no es el tratamiento más adecuado, ya que la prioridad debería ser un tratamiento local para el pelo y el cuero cabelludo. Superado el episodio, si consideras que tu hijo es especialmente proclive a tener piojos, consulta a un homeópata.

FITOTERAPIA

Anís: El aceite esencial de anís puede usarse directamente en el cuero cabelludo 2 o 3 veces al día, teniendo en cuenta que puede provocar irritación y dermatitis. Puede ayudar añadir este aceite a un champú suave, que matará igual a los piojos, pero siendo menos agresivo para el cuero cabelludo.

Crisantemo: El crisantemo produce unos insecticidas naturales llamados *piretrinas*. Los extractos de piretrinas en una concentración de 0,15 a 0,30 % se usan para combatir los piojos. Muchos champús que no precisan receta médica contienen piretrinas como compuesto activo. Sin embargo, hay que tener cuidado de no ingerirlo ni inhalarlo, y evitarlo por completo si tu hijo tiene asma o es alérgico a plantas como la caléndula, la margarita y la artemisa. Consulta a un fitoterapeuta antes de emplear este tratamiento.

Muchos champús para combatir los piojos contienen piretrinas.

MILIARIA

SÍNTOMAS

- Sarpullido rojo o rosado.
- Aparece en las zonas de mayor sudoración o expuestas al sol, como la cara, el cuello o los hombros.
- Sensación de hormigueo y picor.
- Pueden salir granitos y pequeñas pústulas.
- El niño está inquieto e irascible.

DIAGNÓSTICO

También conocida como *sudamina*, es un cuadro común causado por una reacción excesiva al calor cuando el cuerpo es incapaz de regular su temperatura y los conductos del sudor se obstruyen. Esto produce un calentamiento de la piel y la aparición de sarpullidos. El detonante suele ser el calor y se agrava por el sudor, por lo que es importante mantener al niño fresco y evitar los rayos de sol si aparecen sarpullidos.

El sarpullido normalmente desaparecerá una vez que el cuerpo se aclimate al calor, pero si sigue siendo visible horas después de que el cuerpo se haya enfriado, hay que llamar a un médico. Si el sarpullido no desaparece o aparecen otros síntomas como vómitos o dolor de cabeza, o si el niño se siente mal, busca rápidamente atención médica, porque puede tener un golpe de calor.

El sarpullido de la miliaria, que surge por una hipersensibilidad al calor, suele calmarse en cuanto el cuerpo se aclimata.

OBJETIVO DEL TRATAMIENTO

Aliviar rápidamente una piel hipersensible.

MEDICINA CONVENCIONAL

Baños fríos: La causa de la miliaria suele ser la obstrucción de las glándulas sudoríparas y la colonización de la piel por la bacteria estafilococo. El mejor tratamiento es la prevención: evita el exceso de abrigo y viste al niño de acuerdo con la temperatura ambiente, rehúye las pomadas porque pueden taponar las glándulas. En cuanto aparezca un sarpullido, baja la temperatura de la piel. Podemos darle al niño un baño frío (sin jabón) cada 3 o 4 horas y dejar que se seque al aire para enfriar la piel. Para sarpullidos de menor tamaño, también podemos aplicarles un paño húmedo y frío de 5 a 10 minutos cada 3 o 4 horas. Hay que controlar la temperatura ambiente de la casa para evitar el exceso de calor.

Cremas tópicas: Si el sarpullido no desaparece en 2 o 3 días, podemos usar una crema de hidrocortisona de baja potencia que no precisa receta médica. No conviene usar pomadas, puesto que podrían obstruir los poros. La loción de calamina es otra magnífica elección, pero también debemos evitar el aceite para no ocluir los poros. Podemos aplicar en la piel aceite concentrado de árbol de té o gel de aloe vera 2 veces al día.

Antihistamínicos: Un antihistamínico como la difenhidramina puede usarse antes de dormir para calmar el picor siguiendo siempre sus indicaciones. Tiene efectos sedantes.

Antibióticos: Como norma general, si el sarpullido dura más de 3 días, llama a tu médico. Aunque este sarpullido no sea infeccioso, puede propagarse a los folículos pilosos y requerir tratamiento antibiótico. El tratamiento busca eliminar los organismos habituales en la piel, como son el estafilococo y el estreptococo, y el médico puede prescribir antibióticos de la familia de la penicilina o la eritromicina.

CONSEJO

REMEDIOS PARA EL SARPULLIDO

Evita los baños muy calientes, los jabones muy perfumados y los detergentes agresivos. Llevar ropa de algodón también puede ayudar a detener el sarpullido.

MEDICINA TRADICIONAL CHINA

Plantas:

- *Té Jin Yin Hua:* Mezcla 5 g de Jin Yin Hua (flor de madreselva) y 3 g de Bo He (*Mentha arvensis*) en una tetera. Añade agua hirviendo y dale al niño el té a lo largo del día durante un plazo de 10 a 30 días. Si todos los veranos el niño tiene miliaria, dale como medida preventiva el té antes de que aparezca el sarpullido.
- *Decocción de hierbas:* Esta decocción es muy útil para tratar los sarpullidos enrojecidos y con picor. Añade 10 g de Huo Xiang (agastache), 10 g de Pei Lan (*Eupatorium*), 12 g de Zhi Zi (fruto de la gardenia jasminoides), 10 g de Jin Yin Hua (flor de madreselva) y 8 g de Zhu Ye (hojas de bambú) a 3 tazas de agua en una olla de cerámica o cristal. Lleva a ebullición y deja hervir a fuego lento durante 30 minutos. Cuela el líquido resultante y dale 1 taza 3 veces al día durante 3 a 5 días.
- *Baño de hierbas*: Añade 15 g de Jin Yin Hua (flor de madreselva) y 15 g de Jing Jie (tallos y capullos de *Schizonepeta*) a 5 tazas de agua y deja hervir durante 5 minutos. Cuela el líquido y añádelo al baño, para sumergir al pequeño una vez al día mientras la afección persista.

Acupresión: Presiona el punto Tai Yang en la depresión de la sien, a medio camino entre el final de la ceja y el párpado. Presiona los puntos Hegu que se sitúan en el dorso de las manos, entre el pulgar y el índice. Presiona el punto Feng Chi de la base del cráneo, a 5 cm a la izquierda de la columna. Presiona suavemente los puntos durante aproximadamente un minuto 1 vez al día.

HOMEOPATÍA

Cualquiera de los siguientes remedios puede calmar la irritación y el picor de un episodio moderado de miliaria, especialmente si es de reciente aparición. Los episodios prolongados, recurrentes o graves son indicio de un problema persistente y arraigado que requerirá que un homeópata profesional prescriba el tratamiento específico.

Staphysagria: Este remedio es el adecuado si la sensación de picor y hormigueo es particularmente molesta al dormir, es decir, si rascarse solo alivia momentáneamente, pero la irritación se desplaza a otro lugar del cuerpo. El ánimo que se asocia a este cuadro es de irritabilidad e hipersensibilidad.

Las semillas de la planta *Delphinum staphisagria* sirven para preparar el remedio *Staphysagria*.

Apis: Usa este remedio como tratamiento para los sarpullidos que cursan con sensaciones punzantes o un picor muy fuerte. Bien prescrito, *Apis* procura un alivio inequívoco al aplicar compresas frías, dar un baño en agua fría o dejar la piel al aire para que entren en contacto las zonas afectadas y el aire fresco. En cambio, tener calor produce molestias y un empeoramiento del hormigueo.

Sulphur: Se trata del remedio más habitual para los problemas de la piel, especialmente cuando se acompañan de picor localizado que se agrava de noche o después del baño.

FITOTERAPIA

Es importante que mantengamos la piel limpia, fresca y seca. Esto, más que cualquier otro remedio, facilitará la curación. No apliques aceites ni pomadas en las zonas afectadas. La miliaria surge por la obstrucción de los conductos de sudoración, y cubrir la piel con estos productos solo empeora el cuadro. Sin embargo, existen distintas terapias que pueden aplicarse para acelerar la recuperación y ayudar a mitigar los síntomas.

Jengibre: El jengibre disminuye la respuesta inflamatoria del cuerpo y estimula la circulación, ayudando a calmar la miliaria. Infusiona jengibre fresco rallado en un cazo con agua hirviendo, deja que se enfríe y aplícalo dando toquecitos con una esponja en las zonas afectadas.

Infusión de jengibre para aplicar en las zonas afectadas.

Avena molida: Junto a la bardana y el álsine, la avena puede mitigar de forma muy efectiva el picor. Es barata, se consigue fácilmente y puede usarse sin ningún problema, porque apenas tiene efectos secundarios. Para tratar el picor, prepara un baño frío y añade 1 taza de avena finamente molida.

Raíz de bardana: Aplica bardana en la zona afectada, igual que con el jengibre, o añade una pequeña cantidad al baño de avena molida.

Álsine: Se encuentra presente en muchos jardines como macizo de flores no siempre apreciadas por su belleza, y sin embargo el álsine posee interesantes propiedades medicinales y es especialmente recomendable para los problemas de la piel. Si el picor está muy extendido, prueba a preparar un baño añadiendo una potente infusión de álsine.

TIÑA

SÍNTOMAS

- Aparecen ronchas redondas u ovaladas, de color rosado casi rojo; primero surge una pequeña irritación y luego se propagan.
- Las manchas son más pálidas en el centro, con los bordes más rojos y abultados.
- A veces, las erupciones son secas y escamosas.
- Aparecen sobre todo en la cara, aunque pueden estar en cualquier otro lugar del cuerpo.
- Las ronchas pueden picar e inflamarse al rascarlas.
- También pueden salir en el cuero cabelludo, produciendo la caída del pelo y la aparición de calvas.
- También pueden infectarse las uñas como consecuencia de rascarse las ronchas.

DIAGNÓSTICO

La tiña es una enfermedad cutánea bastante frecuente causada por el hongo *Tinea*. Produce unas lesiones con forma de anillo, unas ronchas que son más pálidas en el interior, como dianas. No se trata de ninguna picadura, sino que se contagia por contacto con el hongo, cuando tocamos directamente una piel infectada o bien indirectamente a través de las toallas, los sombreros o los cepillos del pelo de alguien infectado.

Es más común en niños de 2 a 10 años. Los ambientes húmedos y calientes, como los baños y las piscinas, son ideales para la proliferación de hongos.

OBJETIVOS DEL TRATAMIENTO

La tiña no es una enfermedad grave, pero sí es muy contagiosa, por lo que alguien infectado debe evitar cualquier contacto con los demás. El tratamiento persigue curar las erupciones y prevenir la propagación del hongo.

Esta infección de la piel puede contagiarse de un niño a otro con el contacto directo.

MEDICINA CONVENCIONAL

La tiña requiere un diagnóstico preciso, ya que puede confundirse con la psoriasis, la dermatitis seborreica o la candidiasis. Las infecciones cutáneas por hongos, como la tiña, pueden diagnosticarse con un raspado que se envía al laboratorio para analizar la muestra en microscopio. No suele ser necesario hacer cultivos.

Prevención: Debemos localizar el origen de la infección para evitar su propagación. Las zonas afectadas deben estar limpias y secas. Muchas personas piensan que las erupciones se deben a la sequedad y aplican pomadas y emolientes que pueden hacer crecer la erupción. En las primeras fases de la infección, podemos aplicar aceite de árbol de té 3 veces al día durante 2 semanas. No debemos usar ropa apretada ni vendajes ni tampoco cremas con hidrocortisona.

Antimicóticos: Los medicamentos antifúngicos con clotrimazol o terbinafina pueden aplicarse 2 veces al día durante 2 o 3 semanas. Si no funcionaran, podemos comprar antifúngicos orales y tomar, por ejemplo, 100 mg de itraconazol o 200 mg de diflucan al día. Estos fármacos pueden afectar al hígado y puede ser necesario realizar antes un análisis de encimas. Tomar a la vez cardo mariano puede proteger el hígado y no reduce el efecto de los medicamentos ni tiene interacciones. También podemos aplicar aceite de árbol de té concentrado como coadyuvante. Si no existe mejoría en 2 o 3 semanas, o si vuelve a aparecer la infección, consulta a tu médico.

MEDICINA TRADICIONAL CHINA

Plantas: Los remedios externos son el principal tratamiento para la tiña en la medicina tradicional china.

- *Fórmula de plantas:* Deja macerar 9 g de Din Xiang (capullo de clavero) y 15 g de Da Huang (raíz y rizoma de ruibarbo) en 90 ml de vinagre de arroz durante 7 días. Aplica en la zona afectada una cantidad adecuada de esta fórmula 2 veces al día.
- *Emplasto de hierbas:* Mezcla 30 g de ajo y 30 g de cebolleta china fresca y muele la mezcla hasta obtener un emplasto que puedas aplicar en la piel afectada; repite 1 o 2 veces al día hasta ver una mejoría.

Dieta: Intenta introducir en la dieta alimentos que disminuyen el calor de la sangre, que drenan la humedad e hidratan la sequedad, como la mostaza verde, la *Ipomoea aquatica*, los frijoles y la miel.

Recomiendan ingerir miel para combatir la tiña.

HOMEOPATÍA

Podemos aplicar ajo crudo majado en las ronchas.

Cualquiera de los siguientes remedios homeopáticos puede usarse como complemento al tratamiento convencional con el fin de acelerar la curación de la infección por *Tinea*.

Sepia: Este remedio puede ayudar a que el pelo vuelva a crecer sano y abundante cuando las características ronchas circulares han afectado al cuero cabelludo, en la coronilla o la parte trasera.

Sulphur: Si los síntomas de la tiña surgen en una piel y un cabello problemáticos, con tendencia a tener granitos, furúnculos o infecciones, usa *Sulphur*. Los síntomas, entre otros, son una piel hipersensible al calor (especialmente al dormir), al baño o la ducha.

FITOTERAPIA

Aceite de naranja amarga: Parecen comprobados los beneficios del uso tópico de este aceite para tratar la tiña y otras infecciones causadas por hongos. Aplica 2 o 3 veces al día unas cuantas gotas de este aceite esencial directamente en la zona afectada. El aceite de naranja amarga puede producir una reacción alérgica; interrumpe el tratamiento si la erupción empeora o si aparecen nuevos síntomas. No podemos aplicar este remedio durante más de 10 días. Tampoco debemos ingerirlo debido a sus efectos secundarios: cardiotoxicidad que conlleva arritmias e incluso ataques al corazón en ciertas personas.

Ajo: Su uso tópico tiene propiedades antisépticas y antifúngicas. Machaca ajo crudo para aplicarlo directamente en las ronchas 2 o 3 veces al día durante 1 o 2 semanas. También podemos usar aceite de ajo, más efectivo y mejor tolerado, que podemos comprar en cualquier herbolario. El ajoeno, un compuesto organoazufre del ajo, tiene propiedades antifúngicas contrastadas y se ha probado que es igual de eficaz que los fármacos antifúngicos que se venden sin receta. Busca un gel que contenga un 1 % de ajoeno y aplícalo 2 veces al día durante 7 a 10 días. El ajo no tiene prácticamente efectos secundarios en uso tópico, aunque puede surgir una leve irritación en el lugar de la piel en el que se aplique.

Aceite de árbol de té: Este aceite, en uso tópico, tiene propiedades antifúngicas y antibacterianas. Aplícalo en la zona infectada como loción con una concentración de 20 % o como crema con un 5 a 15 % de aceite de árbol de té, cantidades que se han demostrado suficientes para aliviar los síntomas. El único efecto secundario de un uso prolongado y repetido de este aceite es la dermatitis.

Caléndula: Podemos aplicar caléndula como pomada o tintura para tratar las infecciones fúngicas. Las dosis recomendadas varían considerablemente, dependiendo del preparado y su fórmula. Existen pocas contraindicaciones y escasas reacciones adversas, aunque pueden producirse alergias.

Clavo: El uso tópico del clavo también tiene propiedades antifúngicas demostradas. Podemos aplicar su aceite varias veces al día, aunque puede producir una reacción como la dermatitis o la irritación de las mucosas. Para las infecciones por hongos, no debe ingerirse.

El aceite de clavo tiene propiedades antifúngicas.

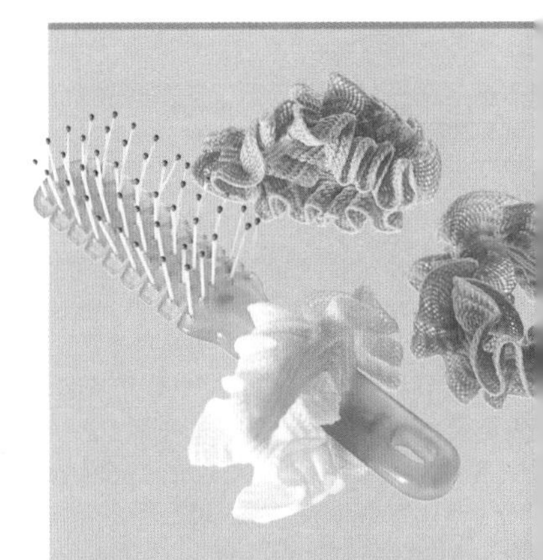

CONSEJO

EVITA EL CONTAGIO

Tras el baño, debes secar bien y con cuidado la zona afectada. La tiña es muy contagiosa; tira cualquier objeto que haya podido entrar en contacto con el hongo, como peines, cepillos o accesorios para el pelo. Revisa cualquier indicio de tiña en tus mascotas, ya que también deberán recibir tratamiento.

ROSÉOLA

SÍNTOMAS

- Fiebre alta repentina durante unos 3 días.
- En algunos casos, el pequeño tiene convulsiones por esta subida de temperatura tan súbita.
- Malestar generalizado.
- Pérdida de apetito.
- Inflamación de las glándulas del cuello.
- Dolor de garganta.
- Después de la fiebre, aparecen unas manchas rosadas, que normalmente empiezan en el tronco y se extienden a las extremidades. Rara vez aparecen en la cara.
- La erupción desaparecerá muy rápido: son granitos tenues y rosados.

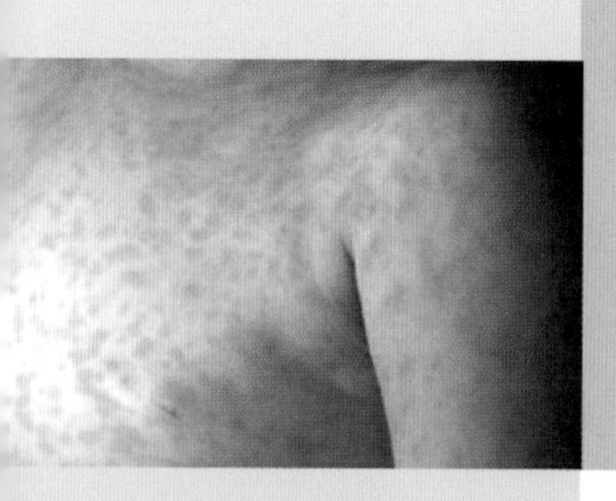

DIAGNÓSTICO

La roséola o sexta enfermedad es una dolencia bastante común que afecta a los niños de 1 o 2 años. Sus síntomas son la fiebre y la erupción, pero su causa es desconocida, aunque se sospecha que se trata de un virus que se contagia por las vías respiratorias. El periodo de incubación es bastante largo: 10 o 15 días entre la infección y los primeros síntomas. La fiebre debe tratarse con cuidado para evitar las convulsiones; el niño tiene que beber mucha agua; debemos cubrirlo con una sábana, pero no taparlo en exceso, y podemos darle paracetamol infantil.

OBJETIVOS DEL TRATAMIENTO

La roséola es una enfermedad sin complicaciones: el niño se recuperará rápidamente.
El objetivo del tratamiento es aliviar los síntomas y evitar las convulsiones y la deshidratación.

Mantén al niño fresco, pero cúbrelo con una sábana.

MEDICINA CONVENCIONAL

Es importante distinguir la roséola de otras enfermedades graves que se manifiestan de forma parecida, como la rubeola, el sarampión, la meningitis y otras infecciones bacterianas que cursan con fiebre alta. Si el médico quiere confirmar el diagnóstico, prescribirá análisis de sangre y cultivos para descartar otras enfermedades.

Hidratación: Para evitar que tu hijo se deshidrate, dale líquidos frecuentemente y en pequeñas cantidades. Para asegurarte de que bebe lo suficiente, controla el volumen de orina (seis pañales al día es lo normal).

Bajar la fiebre: Podemos bajar la fiebre mojando al niño con una esponja de agua tibia y dándole medicinas antiinflamatorias no esteroides como el ibuprofeno o el paracetamol, que se presentan en soluciones para su administración en niños. Lee atentamente el prospecto, sigue las dosis y las indicaciones. Si la fiebre no baja y es superior a 39 °C, deberás llevar a tu hijo al médico.

Síntomas persistentes: La enfermedad no debe durar más de una semana. Si ves que los síntomas persisten o surgen complicaciones como convulsiones, un estado mental alterado, deshidratación o tos intensa, busca atención médica con urgencia.

CONSEJO

LÍQUIDOS Y REPOSO

Asegúrate de que el niño esté en reposo y beba mucho líquido. Si le estás dando el pecho, no interrumpas la lactancia.

MEDICINA TRADICIONAL CHINA

Plantas: Las siguientes fórmulas han sido desarrolladas para disipar el calor y el viento, los factores que más contribuyen a la roséola.

- *Tisana:* Mezcla 12 g de Da Qing Ye (hojas de hierba pastel), 15 g de Bai Ji Li (fruto de abrojo), 12 g de Jing Jie (tallos y capullos de *Schizonepeta*) y 15 g de Fang Fen (raíz de *Ledebouriella*) en una olla de cerámica. Añade 3 tazas de agua, llévalo a ebullición y déjalo hervir fuego lento 30 minutos. Cuela el líquido y dale al niño 1 taza 3 veces al día durante 3 a 5 días. Las cantidades corresponden a la dosis de un día.
- *Baño de hierbas:* Las pequeñas erupciones no suelen precisar un tratamiento externo. Para erupciones muy extendidas, mezcla 30 g de Jing Jie (tallos y capullos de *Schizonepeta*), 20 g de She Chuang Zi (semilla de *Cnidium*), 30 g de Di Fu Zi (ciprés de escobedo) y 18 g de Zi Cao (raíz de arnebia), en 4 o 5 tazas de agua y deja hervir 20 minutos, cuela el líquido resultante y añádelo a un baño caliente. Baña al niño durante 20 o 30 minutos una vez al día.

Acupresión: Presiona los puntos Qu Chi, Hegu y Feng Chi con el pulgar durante 1 o 2 minutos, 2 veces al día. Los puntos Hegu se sitúan en el dorso de las manos, entre el pulgar y el índice. Al flexionar el codo, el punto Qu Chi se encuentra en la parte externa del brazo, en el extremo lateral del pliegue. El punto Feng Chi se localiza en la base del cráneo, a 5 cm a la izquierda de la columna.

HOMEOPATÍA

Cualquiera de los remedios que se indican a continuación puede aliviar las molestias y acelerar el proceso de recuperación en caso de un episodio agudo de roséola.

La pulsatilla, hecha a base de anémonas, tiene un amplio rango de acción.

Belladona: Usa este remedio para tratar el primer estadio febril de la enfermedad, cuando ha aparecido una fiebre alta y repentina. La belladona es apropiada si la piel está seca, enrojecida y desprende calor. Los síntomas de la roséola se confirman si las glándulas, sobre todo las del lado derecho, están inflamadas y doloridas.

Pulsatilla: Este remedio es más apropiado para el estadio de estabilización de la enfermedad. Las glándulas están inflamadas y doloridas; el niño puede sentir molestias y estar inquieto en entornos calurosos y sofocantes, aunque tenga frío.

Resulta característico un comportamiento poco habitual del niño: está más quejicoso; tiene mayor necesidad de contacto, de atención y de que le reconforten.

Phytolacca: Este remedio es adecuado en enfermedades agudas que cursan con una inflamación extrema de las glándulas, especialmente dolorosas, en el cuello y alrededor de la mandíbula. También lo es si el pequeño siente dolor en los oídos al tragar. El niño responde bien a las bebidas frías pero las calientes le desagradan.

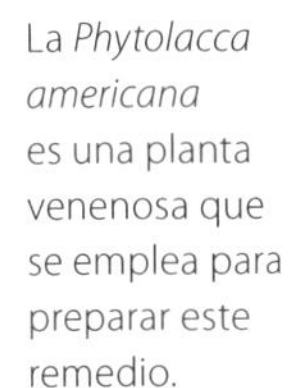

La *Phytolacca americana* es una planta venenosa que se emplea para preparar este remedio.

FITOTERAPIA

Existen numerosas plantas que son apropiadas para bajar la fiebre, una medida que debes tomar en el caso de la roséola, pero la erupción debe seguir su curso y no suele presentar síntomas asociados. A continuación se facilitan los nombres de las plantas más eficaces y seguras para tratar la fiebre en los niños.

Milenrama: Está disponible en los herbolarios, seca o en tintura. Tu fitoterapeuta puede recomendarte una infusión de milenrama seca, que puedes endulzar para facilitar su ingesta. Existe una pequeña posibilidad de reacción alérgica, por lo que no debe administrarse si existe una alergia a las plantas de la familia de las margaritas.

Eupatoria: Te pueden recomendar dar una infusión de eupatoria. Tampoco debes utilizar este remedio en caso de alergia a las plantas de la familia de las compuestas. Existe una pequeña posibilidad de que produzca náuseas y vómitos.

Para hacer una infusión de milenrama, no hay más que comprar la planta seca en un herbolario.

VERRUGAS PLANTARES

SÍNTOMAS

- Aparecen en la planta del pie uno o varios bultos circulares, del color de la piel, blancos o marrones, pueden tener puntitas negras y su diámetro no suele ser más grande que el de la cabeza de un alfiler.
- A veces hay múltiples verrugas y se conoce como *mosaico*.

DIAGNÓSTICO

También conocidas como *papilomas*, las verrugas plantares son muy comunes en los niños. Se trata de una infección vírica cutánea, que se multiplica y propaga. Aparece en la superficie de la piel un pequeño bulto circular, duro, calloso, con puntitas negras, que se incrusta en la piel por la presión al caminar. Las pequeñas manchas negras son minúsculos sangrados debidos a la presión que soporta esa zona del pie.

Los vestuarios y las piscinas son ambientes propicios para la proliferación de este tipo de infección: los papilomas son muy contagiosos. Tras el contagio, pueden pasar incluso meses antes de que sea visible la verruga. No todas las personas son susceptibles de contraer este virus.

El virus del papiloma es muy contagioso y resulta fácil infectarse en las piscinas.

OBJETIVOS DEL TRATAMIENTO

Eliminar la verruga plantar y proteger al niño de futuros contagios.

MEDICINA CONVENCIONAL

Oclusión con cinta adhesiva: Las verrugas plantares no son dolorosas y no precisan tratamiento, pero pueden eliminarse con la técnica de oclusión con cinta adhesiva. Cubre la verruga completamente con cinta adhesiva durante una semana; luego pon el pie en remojo, frota la verruga con piedra pómez y, después de un día, vuelve a cubrirla con cinta adhesiva. Repite este tratamiento hasta que la verruga desaparezca.

Tratamiento tópico: Aplica una crema de tretinoína durante varias semanas antes de dormir. También se pueden comprar sin receta médica compuestos con un 17 % de ácido salicílico para aplicar 2 veces al día en los pies limpios y secos. Hay que vendar la zona tras el tratamiento. Las cremas con flourouracilo también sirven si se aplican diariamente durante 3 semanas, pero pueden producir un oscurecimiento de la piel. En caso de que fallen estos tratamientos, se puede pasar, en primer lugar, al nitrógeno líquido o la electrocauterización o, en último lugar, a la inyección de bleomicina, un agente quimioterapéutico.

Cirugía y láser: Si la lesión está muy extendida o no responde al tratamiento, se podrá realizar una intervención para eliminar las verrugas con un bisturí, una cureta o una unidad electroquirúgica. Para las verrugas que causen dolor, se puede usar un equipo de láser, que deja una lesión que tarda en curar 4 o 6 semanas.

MEDICINA TRADICIONAL CHINA

Plantas: No suele ser necesario tomar un remedio interno de medicina tradicional china para tratar un papiloma. Si son muchas verrugas y se propagan rápido, las siguientes fórmulas ayudan a eliminar el virus del cuerpo.

- *Decocción de hierbas:* Mezcla 30 g de Ma Zhi Xian (*Portulaca seca*), 30 g de Yi Yi Ren (semillas de lágrimas de Job) y 10 g de Da Qing Ye (hojas de hierba pastel) en una olla de cerámica o cristal. Añade 3 tazas de agua, llévalo a ebullición y mantenlo hirviendo a fuego lento durante 30 minutos. Cuela el líquido resultante y dale al niño 1 taza 3 veces al día durante 3 a 5 días.
- *Lavados herbales:* Hierve 15 g de Ma Zhi Xian (*Portulaca seca*), 8 g de Chen Pi (cáscara de mandarina), 15 g de She Chuang Zi (semilla de *Cnidium*), 10 g de Ku Shen (raíz de *Sophora*) y 12 g de Dang Gui (*Angelica china*) en 5 tazas de agua. Cuela el líquido resultante y déjalo enfriar. Usa esta decocción para lavar la zona afectada.

Una de las decocciones para combatir las verrugas contiene semillas de lágrimas de Job.

HOMEOPATÍA

Si existe un cuadro agudo de verrugas plantares, necesitarás el asesoramiento de un homeópata para que trate el desequilibrio subyacente. Si surte efecto, el papiloma en cuestión desaparecerá lentamente y se evitarán episodios posteriores. Sin embargo, si el niño no es proclive a contraer papilomas y se trata de una verruga pequeña que empieza a despuntar, uno de los siguientes remedios puede estimular la sanación:

Para preparar este remedio homeopático, se emplean hojas y ramitas de un árbol joven de thuja.

Thuja: Usa la thuja para tratar una verruga plantar si le causa molestia al niño cuando entra en contacto con agua fría. La piel puede presentar un aspecto enfermizo, amarillento y apagado. La verruga plantar producirá quemazón y picor.

Causticum: Para tratar una verruga plantar que produce picor y dolor y que presenta bordes dentados y sangra fácilmente, usa *Causticum*. La piel puede agrietarse e irritarse, especialmente en zonas con descamación. Los papilomas tienen más tendencia a aparecer si el niño sufre estrés o está decaído.

Antimonium crudum: Es un posible tratamiento para el papiloma si la piel de la planta del pie tiene tendencia a presentar callos y endurecimientos. Los pies se vuelven muy sensibles, especialmente las plantas al caminar.

Silica: Si la aparición del papiloma coincide con uñas de aspecto enfermizo o con callos blandos entre los dedos del pie, conviene decantarse por este remedio. La planta de los pies también puede picar, especialmente por la tarde.

FITOTERAPIA

Avena molida: Prepara la avena como si fueras a comer unas gachas, déjala enfriar y extiende la mezcla sobre la zona afectada. Cúbrela con plástico transparente y déjala actuar toda la noche. Vuelve a aplicar el remedio todas las tardes hasta que desaparezca la verruga. Los papilomas son muy resistentes incluso con los tratamientos de la medicina convencional, pero si no ves ninguna evolución en dos semanas, interrumpe este tratamiento y prueba con otro remedio.

Puedes aplicar, una vez fría, avena cocida, y dejarla actuar toda la noche.

Podophyllum: Aplicada como pomada o cataplasma, esta planta puede ayudar a reducir los papilomas. El *Podophyllum* contiene podofilina, un componente considerado efectivo en el tratamiento de verrugas. Sin embargo, puede producir lesiones (irritación y úlceras) en la piel circundante, por lo que debe ser administrada por un fitoterapeuta experto. Nunca la uses en niños que pudieran ingerir la podofilina aplicada en la piel.

Euforbio: El jugo lechoso que exuda la planta al cortarla se suele aplicar en las verrugas plantares. Debes tener cuidado, ya que esta savia puede ser muy irritante y ulcerar la piel. Es más, también es venenosa y no debe ingerirse. En caso de ingesta accidental, acude inmediatamente al médico.

CONSEJO

FORTALECE EL SISTEMA INMUNE

Para ayudar al cuerpo a luchar contra el virus, puedes modificar la dieta y usar alimentos no procesados como verduras, frutas y alimentos integrales.

CONJUNTIVITIS

SÍNTOMAS

- Ojos irritados y con la sensación de que hay arena o un cuerpo extraño.
- El blanco del ojo se enrojece y se inflaman los vasos sanguíneos.
- Hinchazón de los párpados.
- Ojos llorosos.
- Secreción acuosa, lagrimeo.
- Secreción amarillenta, pegajosa y abundante que produce legañas y hace que se peguen las pestañas.
- Al niño le cuesta abrir los ojos al despertarse.
- Se rasca los ojos.
- Visión defectuosa.

DIAGNÓSTICO

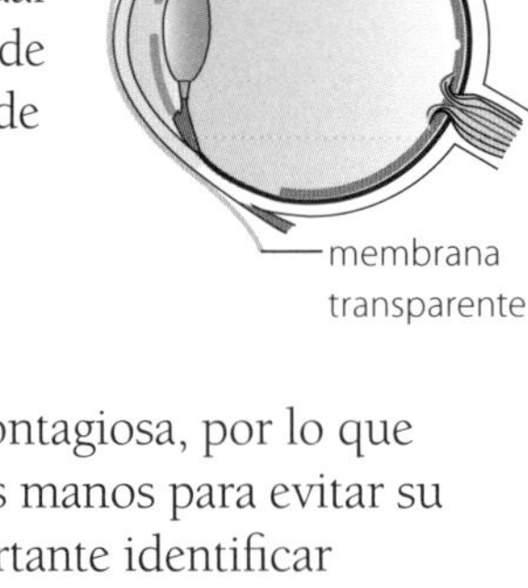

La conjuntivitis es una enfermedad habitual de los ojos que implica una inflamación de la membrana que cubre el globo ocular. Puede afectar a ambos ojos a la vez.

Si todo el ojo está afectado, probablemente se deba a una infección bacteriana o vírica, que es su causa más común. Se trata de una enfermedad muy contagiosa, por lo que debemos tener cuidado de lavarnos bien las manos para evitar su propagación. En caso de recidivas, es importante identificar el factor desencadenante: puede ser un cuerpo extraño que se introduce en el ojo, como el polvo, una alergia o la fiebre del heno, una intolerancia a los lácteos o a otros alimentos, o bien el cloro de las piscinas. Te pueden recetar colirios y pomadas antibióticos o un antihistamínico si la conjuntivitis se debe a una reacción alérgica.

Las personas que sufren conjuntivitis alérgicas pueden desarrollar un cuadro agudo con secreciones amarillas, verdosas, blandas y pegajosas, hinchazón de párpados, piel escamosa, alteraciones en la visión y mucha molestia. Es preciso un tratamiento médico más agresivo para prevenir la aparición de cicatrices en la córnea u otras lesiones.

OBJETIVOS DEL TRATAMIENTO

Pide consejo médico siempre que tu hijo tenga conjuntivitis. El tratamiento busca reducir las molestias, la inflamación y acabar con la infección.

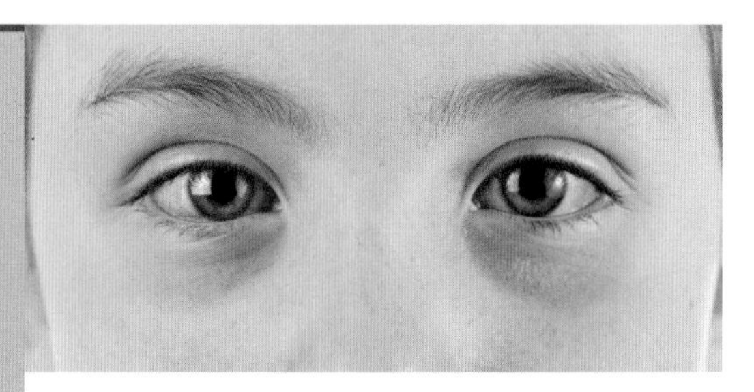

La irritación y rascarse los ojos son síntomas de la conjuntivitis.

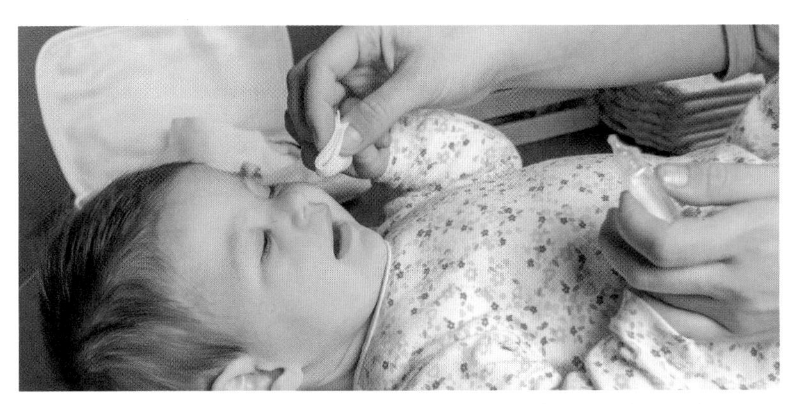

Pueden prescribirte colirios antibióticos.

MEDICINA CONVENCIONAL

No debemos dar por sentado que los «ojos rojos» son el síntoma de una conjuntivitis. El tratamiento dependerá de si la causa es viral, bacteriana, alérgica, traumática o por clamidia. Si existe dolor o cualquier alteración de la visión, consulta a tu médico, porque puede tratarse de un problema más serio.

Lágrimas artificiales: Los ojos secos son más propensos a desarrollar conjuntivitis. Las lágrimas artificiales pueden usarse como remedio y para prevenir la enfermedad.

Compresas: Para aliviar un comienzo de conjuntivitis, coloca sobre el ojo una compresa húmeda y caliente durante unos 20 minutos 3 veces al día.

Colirio antibiótico: Se pueden aplicar 2 gotas de colirio de tobramicina, gentamicina u ofloxacino cada 4 horas durante una semana. A veces se prescriben colirios de betadine. Evita usar colirios que contengan esteroides (algunos colirios antibióticos los contienen) si existe una infección, porque puede agravarla.

Conjuntivitis alérgica: La conjuntivitis alérgica crónica se trata con fármacos que estabilizan los mastocitos, como la olopatadina, un antihistamínico para los ojos.

CONSEJO

PREVENCIÓN PARA TODA LA FAMILIA

Tanto la conjuntivitis vírica como la bacteriana son muy contagiosas. Cada integrante de la familia debe usar toallas distintas y lavarse a menudo las manos. Los niños enfermos deben quedarse en casa y no ir al colegio ni a la guardería. Si usas lentes de contacto, mantenlas limpias para evitar la irritación y futuras infecciones.

MEDICINA TRADICIONAL CHINA

Para preparar una tisana, podemos usar el diente de león (Pu Gong Ying) fresco o bien usar raíces desecadas.

Plantas:

- *Compresas de jengibre:* Toma una pieza de jengibre fresco y haz un agujero en el medio para introducir dentro 1,5 g de Huang Lian (raíz de coptis). Asa el jengibre y colócalo todavía caliente en el punto de acupuntura Tai Yang, que se sitúa en la depresión a medio camino entre el extremo exterior de la ceja y el párpado.
- *Tisana:* Mezcla 30 g de Ren Dong Teng (tallo de madreselva), 30 g de Xia Ku Cao (prunela común), 15 g de Pu Gong Ying (diente de león) y 15 g de Xuan Shen (raíz de *Schropularia*) en una olla de cerámica o cristal. Añade 3 tazas de agua, lleva esta mezcla a ebullición y déjala hervir a fuego lento durante 30 minutos. Cuela el líquido y dale al niño 1 taza de té, 3 veces al día durante 3 a 5 días. Consulta con el especialista para suministrar una dosis acorde a la edad del pequeño.

Acupresión: Presiona los puntos Hegu, Tai Chong, Tai Yang y Cuan Zhu. El punto Hegu se sitúa en el dorso de la mano entre el pulgar y el índice. Los puntos Tai Chong están en el empeine del pie, en la depresión situada entre el dedo gordo y el segundo dedo. El punto Tai Yang se encuentra en la depresión de la sien y a una altura que está entre el extremo exterior de la ceja y el párpado. El punto Cuan Zhu se localiza en el entrecejo, justo donde empieza la ceja; presiónalo con el índice, manteniendo los ojos cerrados, durante 1 minuto. Después, presiona el punto Tai Chong durante otro minuto pero con el pulgar. Así con cada punto, 1 minuto cada uno. Lávate las manos con jabón y bajo el chorro de agua antes y después de realizar la acupresión.

HOMEOPATÍA

Antes de iniciar tratamientos homeopáticos, sería aconsejable confirmar el diagnóstico de conjuntivitis con tu médico de familia. Las conjuntivitis recurrentes, de gravedad media o extrema, requieren la consulta a un homeópata experto.

Belladona: Usa este remedio ante la primera señal de inflamación, enrojecimiento y quemazón. Este remedio es el apropiado si los síntomas evolucionan rápido y de forma radical. Hay una molestia punzante y palpitante en los ojos, que se perciben calientes y secos. Las molestias empeoran con los movimientos oculares bruscos y con la exposición a la luz.

Apis: Si la molestia que produce la conjuntivitis aumenta al exponerse al calor y la zona que rodea los ojos está inflamada y enrojecida, piensa en usar este remedio. Los síntomas incluyen dolores agudos y punzantes, hinchazón dúctil bajo los ojos afectados, y las molestias llevan al niño a estar inquieto e insatisfecho. Puedes usar este remedio para la conjuntivitis alérgica cuando los síntomas se desarrollen muy rápido, siempre y cuando se haya consultado antes a un médico.

La *Pulsatilla pratensis* es una planta herbácea perenne que crece en pequeños grupos.

Pulsatilla: Para síntomas más claros, especialmente si surgen como complicación del catarro, usa pulsatilla. Uno de ellos es la molesta sensación de que una película recubre la superficie de los ojos afectados, por lo que el niño se rasca o se limpia los ojos constantemente. Puede producirse una secreción pegajosa, amarillenta o verde, que se seca formando legañas y pegando las pestañas por la mañana. El niño puede sentirse triste y lloroso debido a las molestias.

FITOTERAPIA

Son distintas las enfermedades que pueden causar conjuntivitis; pueden ser graves y variar dependiendo de la edad del niño. Debes contar con la opinión de un profesional de la salud para diagnosticar y tratar la conjuntivitis. Las siguientes sugerencias son para conjuntivitis leves de causa viral o alérgica.

Eufrasia: Esta planta se recomienda para uso tópico. Empapa una bola de algodón o una gasa en una infusión de eufrasia y da toquecitos en la zona infectada. Ten cuidado de usar utensilios esterilizados para no producir una infección. En cada aplicación, usa una gasa o una bola de algodón limpia y, si es posible, una nueva infusión de eufrasia cada vez. Si la conjuntivitis parece empeorar o no se resuelve tras unos días, interrumpe el tratamiento y pide ayuda profesional.

Caléndula: Las flores de esta planta pueden aplicarse siguiendo las mismas indicaciones que las de la eufrasia. Aunque en uso tópico existen muy pocas contraindicaciones y efectos secundarios, aplicar la caléndula en el ojo puede causar mayor irritación. Si esto ocurre, interrumpe el tratamiento. Podría producirse una reacción alérgica, pero solo en aquellas personas que tengan alergia a las flores de la familia de las margaritas.

DENTICIÓN

SÍNTOMAS

- Las mejillas enrojecen en el lado donde salen los dientes.
- Salivación excesiva que acaba goteando.
- Una erupción alrededor de la boca.
- El bebé muerde cualquier cosa.
- El niño se introduce el puño en la boca.
- Inflamación de las encías.
- Llanto e irritabilidad.
- El bebé busca contacto físico.
- Trastornos del sueño.
- Fiebre.
- Molestia abdominal.
- Pérdida de apetito.
- Dermatitis del pañal.

DIAGNÓSTICO

La dentición es el proceso por el cual los dientes del bebé se abren paso a través de las encías. Los niños suelen tener unos 20 dientes de leche y a los 2 años ya pueden contar con el juego completo. Los dientes empiezan a salir cuando los bebés tienen unos 5 meses. Aunque a algunos niños afortunados la dentición no parece producirles ningún problema, otros parecen vivirlo como una experiencia dolorosa. En estos casos, el bebé puede dormir peor y estar más irascible durante el día. Los niños pequeños agradecen mordisquear un objeto frío, por lo que podemos darles una tira de zanahoria cruda de la nevera. Puede aparecer fiebre, pero si dura más de 2 días deberás consultar a un médico, porque tu hijo podría tener una infección.

¿CUÁNDO DEBO LLAMAR AL MÉDICO?

Si tu bebé tiene fiebre de más de 38 °C, diarrea intensa, si está aletargado o grita sin descanso, si ha perdido el apetito por completo de tal forma que ni siquiera toma líquidos durante 3 o más horas durante el día, habla con tu médico. Estos síntomas pueden ser indicios de una enfermedad más grave.

OBJETIVOS DEL TRATAMIENTO

Aliviar los síntomas dolorosos.

Mordisquear un objeto frío puede reconfortar al bebé.

MEDICINA CONVENCIONAL

La dentición es un proceso normal en el desarrollo de los bebés. La fiebre alta no es un síntoma habitual, pero sí puede haber un ligero aumento de la temperatura.

Tratamiento no farmacológico: Trata de reconfortar y apaciguar a tu pequeño. Le puede aliviar mordisquear algo frío, pero también las bebidas y los geles fríos, puesto que insensibilizan las encías. No le des para chupar nada congelado, ya que podemos lastimar la mucosa de las encías, ni ningún objeto que suponga un peligro de asfixia.

La dentición puede convertir a tu bebé en un niño muy irascible.

Medicinas sin receta médica: Siempre debemos seguir la dosis recomendada en el prospecto de los analgésicos para niños.

MEDICINA TRADICIONAL CHINA

Plantas: La herbología china no es recomendable para aliviar la dentición.

Acupresión: Presiona el punto Hegu que se encuentra en el dorso de la mano, entre el pulgar y el índice, durante 1 minuto. Presiona durante 1 minuto también el punto Xia Guan que se sitúa frente a la oreja, en la depresión situada encima de la mandíbula.

Dieta: Las madres que estén dando el pecho deben evitar las comidas calientes y especiadas como el jengibre, la pimienta, el chile, el clavo, el puerro, los mejillones, la ternera, el cordero o el cilantro.

HOMEOPATÍA

Los resultados de la homeopatía para tratar la dentición pueden parecer milagrosos. Al suministrarle el remedio adecuado, el bebé enseguida se calmará y tendrá menos angustia y malhumor. Como el sufrimiento producido por la dentición tiende a ser intermitente, asegúrate de tener en el botiquín el remedio que mejor funciona con tu hijo para poder dárselo en cuanto aparezca el primer indicio de dolor. El tratamiento adecuado debe reducir la inflamación y el dolor localizado y, emocionalmente, tiene que producir un efecto reconfortante.

Belladona: Este remedio te ayudará a reducir el dolor y la inflamación que aparece de forma rápida y radical, provocando alteración y fuerte irritabilidad en tu hijo. Usa belladona si se da un estado general febril y si la piel del bebé parece enrojecida, seca y muy caliente al tacto. Los síntomas pueden ser más intensos o aparecer solamente en el lado derecho y llevar asociado un dolor de oídos.

Manzanilla: Si el bebé está fuera de sí y muy agitado por el dolor, si tiene una mejilla enrojecida y la otra pálida, prueba con manzanilla. Las rabietas asociadas con el dolor de la dentición alcanzan tal intensidad que cualquier juguete ofrecido para calmar o distraer al niño acabará siendo arrojado con ira contra el suelo.

FITOTERAPIA

Clavo: Las terapias tradicionales a menudo incluyen aceite de clavo para tratar la dentición. Pon 1 o 2 gotas de aceite de clavo en un bastoncillo de oídos y pásalo debajo de un chorro de agua para diluir el aceite. Aplícalo en las encías 1 o 2 veces al día. Podría causar una reacción alérgica dentro de la boca, así que deberás observar si aparecen señales de irritación.

CONSEJO

INSENSIBILIZA LAS ENCÍAS

Puedes darle al bebé una toalla impregnada en avellano de bruja para ayudar a sedarle las encías.

Puedes aplicar en las encías aceite de clavo diluido en agua.

CANDIDIASIS BUCAL

SÍNTOMAS

- Placas o manchitas de color blanco, crema o amarillo en la boca del bebé
- A veces salen granitos rosa pálido en los labios.
- Sensación de quemazón en la boca y la garganta.
- Hipersensibilidad en la boca.

DIAGNÓSTICO

La candidiasis bucal, también conocida como *micosis oral* o *muguet*, es una infección causada por el hongo *Candida albicans* que se presenta en la mucosa que recubre la boca y la garganta. Es probable que aparezca en diabéticos, en personas que han tomado antibióticos o que tienen el sistema inmunitario deprimido como consecuencia de una mala nutrición.
Es importante que, ante la sospecha de que tu bebé tenga muguet, lo lleves al médico para que le haga un reconocimiento. Es habitual tratarlo con antifúngicos que se aplican en la boca. Si conseguimos controlar el factor desencadenante, la infección se curará en unos días con el tratamiento antifúngico.

Los recién nacidos son propensos a sufrir brotes de candidiasis bucal.

OBJETIVOS DEL TRATAMIENTO

Determinar y erradicar la causa, para curar la infección y prevenir que el muguet vuelva a aparecer.

MEDICINA CONVENCIONAL

La candidiasis bucal tiene su origen en una proliferación de la levadura *Candida*, que habita normalmente en nuestra boca y nuestra piel. Ciertos factores generales y locales permiten un aumento de la colonización, que desemboca en una infección. Este desequilibrio suele generarse por tomar ciertos antibióticos, como efecto secundario de inhalar esteroides (para tratar una alergia o el asma), por tener el sistema inmunitario debilitado o por haber experimentado un trauma crónico que ha desequilibrado el delicado equilibrio del cuerpo.

Prevención: Fortalecer el sistema inmunitario limitando la ingesta de azúcar, de alimentos con levaduras o con fructosa (como la fruta), al ser sustancias que estimulan el crecimiento del hongo. En cambio, los probióticos (en cantidades de millones o billones que forman las colonias) y la levadura probiótica *Saccharomyces boulardii* pueden inhibir su crecimiento. Pueden administrarse en personas propensas a contraer hongos o que estén tomando antibióticos.

Tratar la infección: El tratamiento consiste en administrar, en primer lugar, 1 ml de suspensión oral de nistatina 3 veces al día o crema de ketoconazol a un 2 % cuatro veces al día. Si no funciona, pasamos a 100 mg de fluconazol sistémico 1 vez al día durante 7 a 10 días o 200 mg de itraconazol 1 vez al día durante un plazo de 7 a 10 días.

Con un análisis de sangre, podrán evaluar las enzimas del hígado si se sospecha fallo o disfunción hepática.

CONSEJO

PLACER EN LA BOCA

Puesto que el pequeño puede tener la boca sensible y dolorida, intentaremos evitar las comidas demasiado calientes o ácidas, y potenciaremos aquellos alimentos y bebidas que sean suaves, nutritivos y fríos. Podemos darle al niño una pajita para que beba sin molestias.

Beber puede ser más fácil con una pajita.

MEDICINA TRADICIONAL CHINA

Tisana: Mezcla 8 g de Jin Yin Hua (flor de madreselva), 5 g de Bo He (*Mentha arvensis*) y 3 g de Gan Cao (raíz de regaliz) en un cazo y añade agua hirviendo. Dale al niño esta infusión 3 a 4 veces al día, para que haga enjuagues y lo mantenga en la boca unos segundos antes de tragarlo. Los niños pequeños deberían beber de 30 a 60 ml de la tisana 2 o 3 veces al día.

Acupresión: Presiona con suavidad el punto Di Cang, que se sitúa en línea directa con la pupila a la altura de la comisura de la boca y el punto Xia Guan que se encuentra frente a la oreja, en la depresión situada encima de la mandíbula.

Dieta: Las madres que amamanten a un bebé con esta infección deberían comer alimentos que alivien la humedad, como las judías mungo, los frijoles rojos, las judías verdes planas, las semillas de coix, el melón o el pepino. También es recomendable la comida con un sabor acre como el ajo, la cebolleta, la pimienta y el chile. Deberían comer con moderación la comida caliente y especiada.

Es recomendable que las madres lactantes coman alimentos acres como las cebolletas.

HOMEOPATÍA

Los siguientes remedios homeopáticos pueden ayudar a acelerar el proceso de curación de la candidiasis bucal. En caso de recidivas en intervalos regulares, recomendamos que se consulte a un profesional de la homeopatía. Este experto podrá dar con un tratamiento que acabe con esta tendencia del cuerpo a resultar vulnerable a la colonización por candida.

Natrum mur: Si el muguet se da en personas con tendencia a tener la piel seca, los labios cuarteados o con llagas en las comisuras, *Natrum mur* es el remedio ideal. Al entrar en contacto con el calor se intensifica el malestar, mientras que el frío lo alivia.

Kali mur: Este remedio es adecuado si la lengua muestra relieves como si fuera un mapa y está cubierta de una capa blanca o grisácea. Las encías de los lactantes también pueden adquirir un tono blanquecino.

Los síntomas empeoran durante la noche y al pasar calor. Frotar la zona afectada y el contacto con frío proporciona un alivio momentáneo.

Mercurius: Si la candidiasis oral causa mal aliento y mayor salivación hasta producir un goteo de baba, usa *Mercurius*. Los síntomas más característicos una lengua fofa y, en niños mayores, la presencia de marcas dentales sobre la superficie lingual.

FITOTERAPIA

Ajo: Los dientes de ajo fresco son muy eficaces para tratar las infecciones por levaduras. Aunque tu fitoterapeuta puede recomendártelo en tintura, aceite o cápsulas.

Tomillo: Se trata de un potente antifúngico, antibacteriano y antiinflamatorio que también tiene propiedades antioxidantes. Puedes aplicar en las placas unas gotas de su aceite esencial diluido en media cucharada de aceite de oliva.

Aceite de orégano: Este aceite termina con los hongos de la mucosa bucal. Diluye unas gotas de su aceite esencial en media cucharada de aceite de oliva. Los padres pueden extender esta mezcla en las paredes internas de las mejillas y en la lengua del niño 3 veces al día durante una semana. No existe ningún peligro si el niño se traga esta mezcla. El orégano y el tomillo incrementan sus propiedades antifúngicas al combinarlos.

El hidrastis es muy efectivo para combatir bacterias y levaduras.

Hidrastis: Esta planta contiene berberina e hidrastina, alcaloides muy efectivos para combatir las levaduras y las bacterias. Es amarga y posee propiedades curativas para la mucosa. Un profesional de la fitoterapia puede darte indicaciones sobre su uso. Es preferible emplear hidrastis de cultivo antes que el silvestre.

CATARRO

SÍNTOMAS

- Exceso de moco espeso en la nariz.
- Sensación de embotamiento.
- Dificultad para respirar.
- Respiración jadeante por la boca.
- Dolor de garganta persistente.
- Tos molesta.
- Tos con flemas.
- Sensación de tener algo atascado en la parte posterior de la garganta.

DIAGNÓSTICO

El catarro es el resultado del exceso de moco en la nariz y la garganta. La membrana mucosa se inflama y secreta mucho fluido, así que la nariz o se congestiona o gotea. También es bastante habitual desarrollar tos o incluso dolor de oídos. Normalmente, la causa del catarro es una infección de las vías altas, una alergia, sinusitis, infecciones de oído, sarampión o pólipos nasales. El catarro es muy común en niños, particularmente bebés mayores, y a medida que crecen disminuye la frecuencia. Una de las complicaciones típicas de un ataque fuerte de catarro es la sinusitis, ya que la afección se propaga a los senos. Si el moco se espesa y se acompaña de dolor facial y un olor desagradable, es señal de que se ha producido una infección bacteriana. Si es este el caso, se podría prescribir antibióticos.

OBJETIVOS DEL TRATAMIENTO

Aliviar el malestar que causa esta enfermedad y resolver los síntomas antes de que se instale una infección.

El catarro es especialmente común en bebés mayores.

MEDICINA CONVENCIONAL

El catarro es síntoma de otra enfermedad subyacente. El tratamiento del catarro comprende diagnosticar la causa y descartar otras enfermedades problemáticas. Es necesario evaluar si el desencadenante es una infección viral o una reacción alérgica.

Descongestivos: Los descongestivos sin receta, como la pseudoefedrina, y los espráis nasales, como la oximetazolina, son eficaces para proporcionar alivio inmediato a corto plazo. Se pueden usar para mitigar el malestar mientras se detecta la causa de la descarga, pero tienden a causar congestión de rebote si se usan más de 3 días. El cuerpo se adapta al medicamento, así que la congestión se hace recurrente a menos que se use constantemente. No es recomendable para hipertensos.

Si se presenta infección: Normalmente la infección es de naturaleza vírica y se trata con mucho descanso, líquidos y altas dosis de vitamina C (1 g al día) y zinc (40 mg al día). La prevención del catarro incluye fortalecer el sistema inmunitario con una buena nutrición y reducir el estrés, además de mantener una buena higiene. Se debe aplicar tratamiento médico cuando el catarro se acompaña de fiebre, mal olor, o cuando dura más de 10 días. La descarga nasal espesa y maloliente acompañada de dolor puede indicar una infección de los senos, en cuyo caso se suele prescribir antibióticos.

CONSEJO

BEBER ABUNDANTES LÍQUIDOS

Procura que beba mucha agua y zumos frescos, ya que la hidratación evita que el tracto respiratorio se seque.

El descanso y los líquidos son recomendables para el catarro vírico.

MEDICINA TRADICIONAL CHINA

Plantas: Se suele administrar la píldora Yin Qiao Jie Du Pian para tratar esta afección.

- *Tisana.* Echa 5 g de Huang Qin (raíz de escutelaria), 6 g de Niu Bang Zi (semilla de bardana), 3 g de Bo He (*Mentha arvensis*) y 3 g de Shen Gan Cao (regaliz crudo) en una tetera, añade agua hirviendo y mantén la infusión de 3 a 5 minutos. Da a tu hijo este té a lo largo del día.

La *Mentha arvensis* es uno de los ingredientes de la infusión que puede aliviar el catarro.

Acupresión: El punto Feng Chi se sitúa en la parte posterior de la cabeza, en la base del cráneo, 5 cm por debajo del punto central. Empieza con una presión suave e increméntala gradualmente, trabajando este punto con el pulgar unas 20 veces. Usa la punta del pulgar para presionar los puntos Hegu, en el dorso de la mano entre el pulgar y el índice, con una presión fuerte de 1 a 2 minutos.

Dieta: Prepara una tisanas machacando 4 o 6 cebolletas y añadiendo 1 taza de agua caliente. Da a tu hijo esta tisana 3 veces al día.

HOMEOPATÍA

Las siguientes sugerencias pueden proporcionar un alivio significativo en los síntomas tempranos. Si el catarro es crónico, especialmente si tiende a presentarse con infecciones menores y resfriados recurrentes, busca a un homeópata para que te prescriba el tratamiento. Si el niño chupa grageas con eucalipto o mentol, ten en cuenta que las sustancias aromáticas de este tipo parecen interferir con la acción medicinal de los remedios homeopáticos.

Arsenicum iodatum: Puede ser un posible remedio si el moco que producen la nariz y la garganta es de color amarillo y de textura espesa. Los síntomas que confirman la idoneidad de este recurso son estornudos y sensación de hormigueo en las fosas nasales. Dado que la nariz moquea mucho, la piel de la parte inferior de la nariz se suele irritar.

Kali bich: El clásico síntoma que apela a este remedio es el dolor en el puente nasal debido al estado de congestión general de la zona que rodea de la nariz y los senos. Este remedio está bien indicado si se produce un moco verde-amarillento muy difícil de expectorar. Debido al goteo postnasal, es probable que las fosas nasales huelan mal.

Natrum muriaticum: Los síntomas incluyen secreciones mucosas que alternan una sustancia líquida, de textura gelatinosa (similar a la clara de huevo sin cocer) y una descarga muy líquida que hace que la nariz gotee profusamente. Valora *Natrum muriaticum.* si el catarro se asocia con fiebre del heno o rinitis alérgica, con sensación alterna de congestión y de constante goteo.

FITOTERAPIA

Los siguientes remedios ayudan a aliviar los síntomas del catarro aunque, como en otras afecciones similares, lo principal es detectar y eliminar la causa de la infección.

Gordolobo: Se emplea principalmente como un descongestionante y expectorante de las vías altas. El gordolobo contiene varios componentes activos: iridoides, que disminuyen la cantidad de la descarga; saponinas, que facilitan el movimiento del moco desde los pulmones, y mucílagos, que calman el tracto respiratorio. Puede que tu naturista te recomiende dar al niño una infusión para beber.

Saúco: Esta suave hierba, de excelente sabor, es un remedio popular para niños. El saúco se ha usado durante mucho tiempo en cualquier afección en la que se produzcan grandes cantidades de moco. Posiblemente te recomienden un sirope.

Eufrasia: Los iridoides, flavonoides y lignanos de la eufrasia tienen propiedades astringentes, expectorantes, descongestivas y antiinflamatorias. La eufrasia disminuye la descarga abundante, especialmente en la nariz y los senos paranasales. Tu fitoterapeuta podrá recomendarte una infusión o una tintura.

El sirope de saúco puede ayudar cuando se produce gran cantidad de moco.

RESFRIADO COMÚN

SÍNTOMAS

- Indisposición.
- Dolor articular y temblores.
- Garganta irritada y glándulas inflamadas.
- Exceso de moco en la nariz.
- Congestión nasal.
- Estornudos.
- Ojos llorosos.
- Dificultad respiratoria.
- Tos irritante por el moco de la garganta.
- Congestión y ruidos en los oídos.
- Fiebre leve.
- Pérdida de apetito.
- Cansancio e irritabilidad.

DIAGNÓSTICO

El resfriado común puede tener su origen en más de 200 tipos distintos de virus. Capaz de sobrevivir fuera del cuerpo hasta 3 horas, el virus del resfriado se contagia respirando partículas infectadas del aire o al tocar los gérmenes con las manos y transfiriéndolos después a la nariz o la boca.

Los preescolares tienden a resfriarse a menudo hasta que su sistema inmunitario madura.

Los más pequeños pueden sufrirlos a menudo mientras se van inmunizando.

OBJETIVOS DEL TRATAMIENTO

No existe cura para el resfriado. Los antibióticos no son útiles para tratarlo, a menos que haya una infección secundaria, así como no hay aún medicamentos antivíricos eficaces. El tratamiento busca aliviar los síntomas.

MEDICINA CONVENCIONAL

El nombre médico del resfriado común es *infección de las vías respiratorias altas,* y está causado por el rinovirus.

Prevención: Lavarse las manos a menudo es de suma importancia para prevenir que el virus se propague. La vitamina C, el zinc y las plantas inmunoestimulantes como la equinácea, el arabinogalactan de alerce y las setas reishi son buenos suplementos para tomar a diario durante la estación fría.

Descongestivos nasales: Apliquemos un espray salino para prevenir la creación de moco y la obstrucción nasal. Usar un descongestivo suave durante unos 3 días puede proporcionar alivio, pero se debe evitar en caso de enfermedad cardíaca, problemas de presión arterial o desórdenes de ansiedad.

Si se observa tos: El dextrometorfano puede ser efectivo durante un periodo limitado. No deben tomarlo los niños menores de 5 años ni tampoco los asmáticos.

CONSEJO

ALIVIO NASAL

Coloquemos aceite de menta o de eucalipto justo debajo de la nariz varias veces al día para aliviar la congestión nasal.

MEDICINA TRADICIONAL CHINA

Plantas:

- *Gan Mao Lin:* Esta píldora herbal china patentada ayudará a combatir el resfriado común. Se puede tomar de 3 a 4 píldoras 3 veces al día.
- *Decocción herbal:* Para un caso grave, mezcla 12 g de Ban Lan Gen (raíz de isatis), 12 g de Lian Qiao (fruta de la forsythia), 12 g de Niu Bang Zi (semilla de bardana), 8 g de Bo He (*Mentha arvensis*), 10 g de Huang Qin (raíz de escutelaria) y 6 g de Gan Cao (raíz de regaliz) en una olla de cerámica. Añade de 3 tazas de agua y lleva a ebullición. Hierve a fuego lento durante 30 minutos. Cuela el líquido y deja enfriar. Da a tu hijo una taza 3 veces al día durante un periodo de 3 a 5 días hasta que los síntomas desaparezcan.

Acupresión: Presionar los puntos Feng Chi, Tai Yang y Hegu cuando tu hijo tenga un resfriado puede ayudar a aliviar síntomas como los dolores de cabeza y la congestión. El punto Feng Chi se sitúa en la parte posterior de la cabeza, en la base del cráneo, unos 5 cm por debajo del punto central. El punto Tai Yang se encuentra en la depresión de la sien y a una altura entre el extremo exterior de la ceja y el párpado. Presiona estos puntos con el pulgar, comenzando por una presión suave e incrementándola gradualmente, unas 20 veces. Usa la punta del pulgar para presionar el punto Hegu, localizado en el dorso de la mano entre el pulgar y el índice, con una presión fuerte durante 1 o 2 minutos.

HOMEOPATÍA

Un remedio bien indicado puede acortar la duración de la infección y prevenir complicaciones en los senos o infecciones en el pecho.

Útil para tratar resfriados en la fase inicial, el *Aconitum* proviene de una planta venenosa.

Aconitum: Útil para tratar el resfriado que se desarrolla abruptamente en respuesta a la exposición a las corrientes de aire frías y secas. Es más eficaz al inicio de los síntomas. Pruébalo si tu hijo está bien cuando se va a la cama pero se despierta a las pocas horas agotado, angustiado y febril. Puede notar la garganta caliente y seca y tener mucha sed.

Belladona: Más eficaz cuando se toma en el primer estadio del resfriado, es útil cuando los síntomas incluyen malestar, fiebre alta, enrojecimiento y piel seca que irradia calor. También se puede notar la garganta caliente e inflamada, haciendo que moleste tragar líquidos. Se puede presentar dolor de oídos, a menudo más intenso en el lado derecho.

Arsenicum album: Considera este remedio si hay sensaciones generalizadas de ardor en la nariz y la garganta que se calman al contacto con el calor. Los síntomas incluyen una escasa descarga nasal, que irrita las ventanas de la nariz y una tos seca que es más persistente al acostarse.

Aunque estén exhaustos al sentirse enfermos, los pacientes reaccionarán con ansiedad si su entorno no está ordenado y organizado.

Natrum muriaticum: Cuando la nariz alterna la congestión y sequedad con la descarga abundante, prueba *Natrum muriaticum*. La descarga nasal empeora con los ataques de estornudos. También se puede presentar herpes labial y sequedad en los labios.

FITOTERAPIA

El regaliz puede calmar la irritación de garganta.

Andrographis: Esta amarga hierba antiviral es rica en antioxidantes. Estimula el sistema inmunitario para combatir el resfriado, mientras mejora la digestión y desintoxica el hígado, lo que protege el cuerpo de las toxinas nocivas que produce la infección. Gracias a su carácter frío y amargo, el andrographis combina bien con plantas «calientes» como el jengibre o el astrágalo. Tu naturista podrá recomendarte un extracto específico y testado.

Regaliz: También conocida como *raíz dulce*, el regaliz calma la inflamación e irritación de garganta mientras actúa como poderoso agente antiviral, reduciendo la gravedad y duración del resfriado. Beber una infusión de regaliz puede ser recomendable durante un corto periodo según la edad del niño. Las grageas también son beneficiosas.

Bálsamo de limón: Eficaz en un resfriado que causa inquietud, ansiedad, insomnio y dolor de cabeza asociado con el estrés. El bálsamo de limón es sedante, antiviral, antiespasmódico y carminativo (calmante y antiflatulencias), cualidades que garantizan la relajación y la curación. Prepara una infusión con 2 cucharadas de hojas en 1 taza de agua, para beber antes de dormir. Comprueba la dosis con tu fitoterapeuta.

El astrágalo puede ayudar al sistema inmunitario a combatir el virus.

Astrágalo: Los flavonoides, polisacáridos y saponinas del astrágalo mejoran el sistema inmunitario al aumentar la actividad antioxidante y la destrucción de los virus. Se toma en forma de té o en tintura.

INFECCIÓN DE OÍDO

SÍNTOMAS

- Dolor de oído.
- El bebé se tira o se frota las orejas.
- Parece mareado.
- Secreciones en el oído.
- Fiebre.
- Pérdida de audición del lado afectado.
- Glándulas y amígdalas inflamadas.

OBJETIVOS DEL TRATAMIENTO

Aliviar el dolor y eliminar cualquier infección existente.

Las infecciones de oído pueden ser terribles para bebés y niños.

DIAGNÓSTICO

El oído medio es la zona donde más se suelen desarrollar infecciones. Los resfriados, las afecciones en los senos paranasales y las infecciones de garganta bloquean las trompas de Eustaquio (canales que van desde el oído a la nariz y la garganta) y dificultan el drenaje del moco. Las infecciones del oído medio pueden producir un intenso dolor de oídos y fiebre. A veces la audición se ve afectada; otras, el tímpano se rompe y libera una sustancia amarilla espesa. Normalmente, se cura solo. Conocido como *oído de nadador*, este proceso puede afectar al oído externo causando dolor, descargas y pérdida de audición. Las infecciones del oído interno son causadas por un virus, normalmente relacionado con un resfriado o la gripe.

oído externo

tímpano

trompa de Eustaquio

MEDICINA CONVENCIONAL

Las infecciones de oído afectan principalmente a niños de entre 6 y 36 meses o de entre 4 y 6 años. Generalmente, los casos menos complicados se resuelven por sí solos sin antibióticos.

Recomendaciones generales: Asegúrate de que el niño beba muchos líquidos para mantenerse hidratado. Los descongestivos pueden usarse como estímulo para el drenaje del moco por la trompa de Eustaquio. Evita cualquier sustancia que contribuya a la inflamación, como el tabaco o las sustancias alérgenas. Alimentar al bebé en posición vertical es otra terapia profiláctica.

Antibióticos: Si la infección no se resuelve por sí sola en 2 o 3 días, se prescribe amoxicilina. Algunas bacterias han desarrollado resistencia, así que si no hay mejora después de 3 días, se prescribe un antibiótico de amplio espectro como el augmentine. El tratamiento suele durar de 10 a 14 días.

Miringotomía: Este proceso quirúrgico descomprime el oído medio en caso de que persistan las secreciones purulentas. Si estas permanecen en el oído medio, pueden acumularse hasta causar dolor por presión o infectarse. Y la infección puede diseminarse hacia las estructuras que rodean el oído y resultar peligrosa. A veces se inserta un tubo de ventilación (tubo de timpanostomía) en el tímpano para drenarlo si el niño sufre múltiples infecciones en un corto periodo.

MEDICINA TRADICIONAL CHINA

Plantas: Mezcla las hierbas de cada fórmula individual en una olla de cerámica y añade 3-4 tazas de agua. Hierve a fuego lento durante 30 minutos. Cuela el líquido y dale a beber al niño 1 taza 2 o 3 veces al día.

- *Fase aguda de la infección de oído:* Combina 10 g de Jin Yin Hua (flor de madreselva), 12 g de Lian Qiao (fruto de la forsythia), 2 g de Jie Geng (raíz de *Platycodon*), 6 g de Bo He (*Mentha arvensis*), 12 g de Niu Bang Zi (semilla de bardana), 12 g de Lu Gen (rizoma de junco), 10 g de Jing Jie (tallos y capullos de *Schizonepeta*) y 10 g de Xia Ku Cao (prunela común).
- *Fase aguda de la infección de oído con un tímpano roto:* Si se dan síntomas como supuración, fiebre, dolor y pérdida de audición, mezcla 10 g de Jin Yin Hua (flor de madreselva), 10 g de Ye Ju Hua (flor de crisantemo salvaje), 10 g de Pu Gong Ying (diente de león), 10 g de Zi Hua Di Ding (hierba viola) y 12 g de Zhi Zi (fruto de *Gardenia jasminoides*).
- *Infección crónica de oído:* Si se dan pitidos o pérdida de audición, mezcla 12 g de Jin Yin Hua (flor de madreselva), 12 g de Zao Jiao Ci (espina del fruto de la acacia china), 12 g de Dang Gui (angélica china), 10 g de Chai Hu (*Bupleurum*) y 10 g de Bai Zhi (angélica dahurica).

CONSEJO

USA UNA COMPRESA CALIENTE

Las compresas calientes pueden aliviar el oído afectado. Aplica una bolsa de agua caliente envuelta en un paño suave o sumerge una muselina en agua caliente, escúrrela bien y ponla sobre el oído dolorido. Asegúrate de que la compresa no esté demasiado caliente cuando la uses con bebés.

DIAGNÓSTICO MÉDICO

Hay muchos tipos distintos de infección de oído. Consulta a tu médico para obtener un diagnóstico antes de empezar cualquier tratamiento. Es importante contar con el dictamen adecuado si el dolor persiste durante más de 24 horas o si hay pérdida de audición.

Acupresión: El punto Xia Guan se encuentra frente a la oreja, en la depresión situada encima de la mandíbula. El punto Yi Feng se encuentra debajo del lóbulo de la oreja. El punto Er Men está delante del trago, la prominencia delantera de la oreja. Trata esos puntos con una presión de suave a media para reducir el dolor en el oído y contribuir a la curación.

HOMEOPATÍA

Un tratamiento homeopático adecuado puede reducir la angustia y el dolor, así como estimular la curación, sin que el cuadro vuelva a repetirse, siempre que se trate de un episodio leve de infección en el oído. Las infecciones recurrentes (especialmente las más graves) requerirán un tratamiento prescrito por un homeópata.

Belladona: Usa este remedio al primer signo de inflamación. La belladona es eficaz en el alivio de la inflamación localizada acompañada de dolor palpitante. Los síntomas pueden estar restringidos o ser peores en el lado de la infección. Las glándulas de ese lado se inflaman y crecen.

Aconitum: Úsalo con la primera muestra de inflamación tras la exposición a un clima seco, frío y ventoso. El dolor aparece de forma repentina y llamativa, llegando a despertar al niño del sueño. Especialmente indicado cuando existe hipersensibilidad al dolor, con reacciones de temor e irritabilidad. Puede sufrir una sensibilidad inusual al ruido (sobre todo a la música, muy molesta y dolorosa para los oídos afectados).

Tintura madre de camomila salvaje. La manzanilla puede aliviar la infección de oído asociada a la dentición.

Hepar sulphur: Usa este remedio para tratar una etapa crítica de infección, cuando el dolor de oídos es agudo y lacerante. En esta fase, las glándulas tienden a estar sensibles e hinchadas. Se observa una gran sensibilidad a las corrientes de aire frío, que causan dolor y malestar intensos. Los síntomas incluyen una clara tendencia a la irritabilidad y el mal humor.

Manzanilla: Remedio potencial de la infección de oídos infantil asociada con dolor de la dentición. Los síntomas incluyen una mejilla enrojecida frente a otra pálida, así como rabietas difíciles de consolar. Los dolores agudos y punzantes en los oídos se combinan con una sensación general de taponamiento.

FITOTERAPIA

La infección de oído se puede clasificar en varias categorías: infección aguda debido a un virus o bacteria, inflamación crónica en el oído medio e inflamación o infección en el canal externo del oído. Consulta a tu naturista para que diagnostique el caso antes de empezar ningún tratamiento.

Uva de Oregón, eufrasia y regaliz: La combinación de estas hierbas crea una sinergia curativa. Los estudios muestran que la raíz de uva de Oregón estimula el sistema inmune y promueve la curación de los tejidos gracias a su acción antivírica y antibacteriana. La eufrasia alivia la congestión mucosa interna y el regaliz reduce la hinchazón. Tu naturista te aconsejará sobre tés y tinturas de estas hierbas. Mantén el tratamiento hasta que se resuelva la infección.

Ajo y gordolobo: El aceite de ajo y el de gordolobo se pueden emplear para disminuir el dolor, la infección y la hinchazón del canal auditivo en sus dos estadios, agudo y crónico. Echa de 3 a 5 gotas del aceite caliente en el oído y cúbrelo con un paño suave y caliente. Antes de emplear esta terapia comprueba con tu médico que no haya roturas en el tímpano, ya que haría desaconsejable este tratamiento.

Milenrama: Excelente para aliviar el rápido ascenso de fiebre, la secreción, la rojez y sequedad de la piel y la inquietud. Tu fitoterapeuta podrá recomendarte una infusión o tintura.

Galium: Suave conductor linfático, bueno para disipar el calor, la hinchazón y el estancamiento. Facilita al cuerpo la movilización de nutrientes y células inmunes hacia las zonas afectadas, estimulando a los riñones y al hígado a desintoxicarse y eliminar los agentes infecciosos. Probablemente te recomienden una tintura.

Los estudios han demostrado que la raíz de Oregón estimula el sistema inmunitario.

OTITIS MEDIA ADHESIVA

SÍNTOMAS

- Dolor en el oído.
- Sensación de taponamiento en el oído.
- Secreción espesa.
- Audición amortiguada, aunque a menudo el niño no perciba el problema.
- Empobrecimiento de la concentración.

DIAGNÓSTICO

La otitis media adhesiva (u otitis serosa media) afecta al oído medio. Es una enfermedad prolongada que comienza con la inflamación del oído medio, que se llena de una espesa secreción con textura de pegamento. Otros síntomas pueden ser infección de nariz o garganta. La otitis media adhesiva es más habitual en niños pequeños; a menudo comienza en la primera infancia. Es una forma de sordera fluctuante que puede tener consecuencias muy graves en términos de problemas de aprendizaje. Suele afectar al desarrollo del habla. Además, hay una fuerte conexión entre las infecciones recurrentes del tracto respiratorio y la otitis media adhesiva. La enfermedad tiende a ser más común durante los meses más fríos.

La otitis media adhesiva puede empezar en la primera infancia.

OBJETIVOS DEL TRATAMIENTO

Aliviar los síntomas y remediar la enfermedad. Esta dolencia se puede tratar fácilmente en cuanto se detecta.

MEDICINA CONVENCIONAL

La medicina convencional diagnostica la otitis media adhesiva examinando la membrana timpánica y anotando el grado de enrojecimiento, abultamiento y disminución del movimiento, un aspecto apagado y persencia de fluido.

Recomendaciones generales: Asegúrate de que el niño beba muchos líquidos para hidratarse. Los descongestivos se pueden usar para favorecer el drenaje del moco. Los alérgenos pueden contribuir a la inflamación, así que deberás evitarlos.

Antibióticos: Si la enfermedad no mejora por sí sola en 2 o 3 días, visita a tu médico, quien te prescribirá amoxicilina. Si aun así no hay mejora después de 3 días, te mandará un antibiótico de amplio espectro como el augmentine. Normalmente el tratamiento se alarga de 10 a 14 días.

Miringotomía: Si el moco se instala en el oído medio durante mucho tiempo, puede acumularse hasta causar dolor por presión o infectarse. La infección puede diseminarse hacia las estructuras en torno al oído y resultar peligrosa. A veces se inserta un tubo de ventilación (tubo de timpanostomía) en el tímpano para drenarlo si el niño sufre múltiples infecciones en un corto periodo.

MEDICINA TRADICIONAL CHINA

Plantas: Se ha demostrado que las plantas poseen propiedades antiinflamatorias que pueden ayudar a curar esta dolencia.

- *Chuan Xin Lian Pian:* Medicina china patentada con probados efectos sobre las enfermedades infecciosas. Dado que su función es suave, no es ideal para tratar casos graves.
- *Niu Huang Shang Qing Wan:* Esta píldora herbal patentada también es útil en el tratamiento de la otitis media adhesiva, ya que ayuda a eliminar la infección.

La pérdida de audición y la falta de concentración son síntomas de la otitis serosa.

Acupresión: Aplica una presión media sobre el punto Yi Feng, situado justo detrás del lóbulo de la oreja. Además, presiona el punto Xia Guan, localizado frente a la oreja en la depresión situada encima de la mandíbula. Estos puntos se pueden pulsar varias veces durante 1 minuto cada vez.

Dieta: Las judías mungo, las judías rojas, los brotes de soja, calabaza china, peras, sandía y la portulaca son buenas elecciones, ya que estos alimentos tienen propiedades refrescantes y disipan el calor y la humedad. También se recomiendan plátano, pepino, mango y hojas de mostaza. Evita la comida grasa.

Son recomendables los alimentos refrescantes, como el mango y el plátano.

HOMEOPATÍA

Debido a su naturaleza crónica, esta enfermedad debe ser tratada por un homeópata experto. La homeopatía puede ser una solución para considerar antes de valorar la inserción de drenajes timpánicos. Los siguientes remedios son posibles tratamientos que un homeópata podría evaluar.

Kali muriaticum: Se trata de un remedio útil si los problemas con las infecciones recurrentes, la hinchazón y la sensibilidad en las glándulas son consecuencia de una vacuna. Los síntomas incluyen obstrucción en la trompa de Eustaquio y pérdida de audición asociada con ruidos al tragar o al sonarse la nariz. La trompa de Eustaquio puede doler, congestionarse y provocar picazón en el oído afectado o en los dos.

La pulsatilla puede ser útil si la otitis serosa se acompaña de congestión y moco.

Pulsatilla: Recurso indicado si existe un historial de producción de moco y congestión de oídos, nariz o pecho. El moco producido típicamente es espeso y de color amarillo verdoso. Los oídos afectados están congestionados permanentemente y solo se ven ligeramente aliviados en los viajes en coche. El oído externo también puede llegar a hincharse e inflamarse, con una sensación de presión como si algo lo empujara fuera de la oreja.

Lycopodium: Si hay propensión a tener problemas de oído combinados con estornudos y una congestión nasal permanente que fuerza a respirar por la boca, usa *Lycopodium*. Los ruidos en el oído incluyen zumbidos y sonidos como de rugido, y puede haber pérdidas de audición. También puede surgir un sonido de eco como respuesta a cualquier ruido. Los oídos se notan generalmente calientes e inflamados, y pueden desarrollar eczemas.

FITOTERAPIA

Ajo y gordolobo: Los aceites de ajo y gordolobo se pueden combinar con aceite de oliva para crear una suave mezcla curativa para el canal auditivo. Las propiedades antimicrobianas del ajo inhiben la infección, mientras el gordolobo trata los tejidos inflamados disminuyendo la secreción y el dolor. Pon de 3 a 5 gotas del aceite caliente en el oído y cúbrelo con un paño caliente. Por favor, confirma con tu médico que no exista rotura de la membrana timpánica pues haría desaconsejable esta terapia.

Petasites: Las raíces de esta planta tienen propiedades antihistamínicas, y pueden ayudar a disipar la hinchazón y el fluido que dan lugar a la otitis media adhesiva. Esta planta solo puede usarse en forma de extracto estandarizado, nunca la planta en bruto porque sus compuestos son tóxicos para el hígado. Tu naturista te ayudará con la dosificación, que prescribirá según la edad y el peso del niño.

Quercetina: Extracto de planta antiinflamatorio y antialérgico, beneficioso para la otitis serosa. La presentación es en cápsulas, así que solo se recomienda para niños con capacidad de tragarlas. Se toma a diario hasta que se resuelvan los síntomas.

Grageas: Las grageas con extracto de menta contienen aceite esencial de mentol, que puede ayudar a las trompas de Eustaquio a expulsar el fluido y aliviar la hinchazón de la otitis. Es conveniente chupar una gragea cada hora durante el día.

El extracto de menta de las grageas puede reducir la hinchazón del oído.

CÓLICO

SÍNTOMAS

- El bebé se lleva las piernas hacia el estómago.
- El pequeño cierra los puños.
- Irritabilidad y mal humor, sobre todo por las tardes.
- Rostro enrojecido.
- El bebé quiere alimentarse constantemente.
- Llanto intenso, a veces durante horas.
- El abdomen se le pone duro.
- Incomodidad después de comer.
- Mala calidad de sueño.

DIAGNÓSTICO

El cólico es una afección habitual en bebés, que afecta en torno a 1 de cada 5. Se caracteriza por retortijones en el abdomen, probablemente causados por gas atrapado o espasmos intestinales. Incide por igual en bebés de pecho o biberón. El bebé comienza a inquietarse y puede llorar continuamente sin hallar consuelo. Algunos bebés mejoran cuando son envueltos en una mantita o se los abraza con fuerza. Masajear suavemente la barriga del bebé también ayuda en algunos casos. Cuando todo falla, algunos padres ven que su bebé se alivia con un paseo en el carrito. Esta dolencia se manifiesta habitualmente de 2 a 4 semanas después del nacimiento, y se da con mayor frecuencia durante las primeras 12 semanas. Afortunadamente, a menudo se resuelve a partir de los 3 meses de vida.

OBJETIVOS DEL TRATAMIENTO

Aliviar los síntomas y calmar la angustia del bebé.

MEDICINA CONVENCIONAL

Un bebé con cólico que esté muy exigente, con fiebre, extremadamente agitado o con algún otro síntoma físico, debe ser llevado al médico para su evaluación. No des por sentado que se trata de un episodio de cólico.

Dieta: El tratamiento del cólico es principalmente dietético. Si no se da pecho, puede ser útil introducir una fórmula sin lactosa de vaca como la soja, la leche de cabra o un hidrolizado de suero de leche. También se puede probar una fórmula sin lactosa o una leche baja en alérgenos. Si el bebé toma leche materna, la madre debe emprender una dieta baja en alérgenos como el gluten y los lácteos, y cortar con los alimentos procesados. Evitar los alimentos flatulentos (legumbres, brócoli, cebollas, aderezos picantes) también es esencial.

Consuelo físico: Se recomiendan las técnicas de alimentación que fomentan los eructos frecuentes y suaves, como mecer, acunar y consolar al bebé. Evita sobreestimular a los bebés irascibles y en pleno ataque de llanto, reduciendo los estímulos visuales y auditivos. Sin embargo, la música tranquila y las canciones de cuna pueden serenarle. Masajear al bebé también puede ser eficaz.

Tisanas: Algunas infusiones, como la menta o el extracto de camomila, verbena, regaliz, hinojo y menta balsámica, han mostrado ser eficaces calmando los cólicos. Las madres lactantes pueden beberlos o se puede dar una tisana suave directamente al bebé con un cuentagotas.

Gotas infantiles: Vale la pena probar las gotas infantiles de simeticona, pero existen opiniones encontradas en cuanto a su eficacia. Si el bebé afectado tiene más de 6 meses, a veces se prescribe diciclomina. Hay que tener en cuenta sus efectos secundarios: sedación, visión borrosa, mareos y sequedad de boca.

Mecer o llevar a un bebé con cólico en un cabestrillo puede calmarlo.

CONSEJO

MASAJE CON LAVANDA

Añade algunas gotas de aceite de lavanda al aceite del bebé y masajéale el pecho y la espalda para relajar la tensión muscular y apaciguar su espíritu.

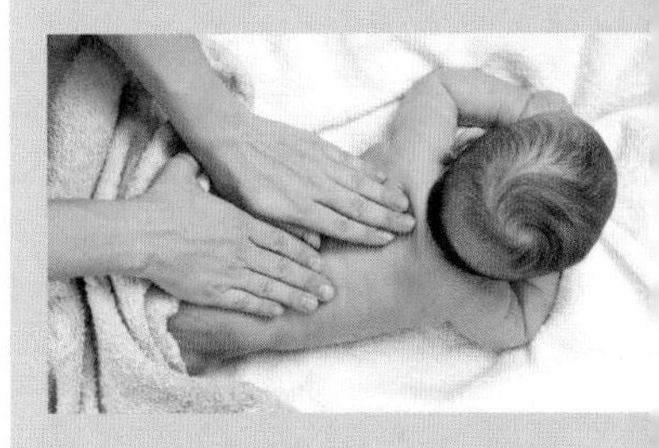

CUÁNDO IR AL MÉDICO

Contacta con tu médico si tu bebé tiene otros síntomas, como vómitos o diarrea, o si llora mucho y nada le reconforta.

MEDICINA TRADICIONAL CHINA

Combina jengibre, menta y agua para preparar una tisana.

Plantas: Si el dolor no se alivia después de tomar estos remedios, consulta a tu médico inmediatamente.

- *Fórmula 1:* Mezcla 2 g de menta seca, o 3 g de menta fresca, con 3 g de jengibre fresco. Hierve estos ingredientes en 3 tazas de agua durante 2 o 3 minutos. Cuela la tisana, añade 2 cucharaditas de miel y revuelve bien. Deja enfriarla hasta que esté tibia y dale a tu hijo ½ ml o 1 ml, usando un gotero, cada hora o cada 2 horas.
- *Fórmula 2:* Combina 4 g de Jin Yin Hua (flor de madreselva), 3 g de Shen Gan Cao (regaliz en bruto) y 5 piezas de Da Zhao (azufaifa china). Pon estos ingredientes en 3 tazas de agua y lleva la mezcla a ebullición. Hierve de 3 a 5 minutos y cuela la tisana. Dale a tu hijo de 1 a 1,5 ml de la infusión fría cada media hora de 3 a 5 veces.

Acupresión: Trata los puntos Hegu, en el dorso de la mano entre el pulgar y el índice, con una fuerte presión. Trata el punto Nei Guan, situado en el centro de la muñeca por el lado de la palma y de 50 mm aproximadamente, con presión media. Presiona cada punto de 1 a 3 minutos cada vez para reducir el dolor.

HOMEOPATÍA

El remedio de *Nux vomica* proviene de las semillas secas de la planta *Strychnos nux vomica.*

Los siguientes remedios pueden aliviar el dolor y la angustia de un ataque agudo de cólico. Un cólico intenso y crónico debe ser tratado por un homeópata.

Nux vomica: Posible remedio para los dolores del cólico en lactantes cuyas madres han comido alimentos picantes.

Lycopodium: Si tu bebé tiende a presentar un fuerte dolor de cólico por la tarde, que a menudo se prolonga hasta el anochecer, prueba el *Lycopodium*. Otros síntomas pueden ser sonidos abdominales de rugido y gorgoteo.
El *Lycopodium* también es apropiado para tratar los cólicos de lactantes cuyas madres toman una dieta excesivamente rica en fibra.

Fosfato de magnesio: Usa fosfato de magnesio para aliviar los síntomas del cólico que cursan con dolores de la dentición. Se producen grandes cantidades de gases que pueden aliviar temporalmente las molestias. Uno de los síntomas más característico es el movimiento instintivo de llevarse las piernas al vientre para tratar de aliviar el dolor. Aplicar calor en la zona afectada y masajearla suavemente reduce el dolor.

Manzanilla: Apropiada si el bebé está extremadamente exigente, irascible e inconsolable. Los bebés pueden arquear la espalda cuando lloran y mejoran cuando logran expulsar el gas.

FITOTERAPIA

El cólico se describe comúnmente como el llanto excesivo e incontrolable de un bebé por lo demás sano. Algunas investigaciones sugieren que el cólico se relaciona con el exceso de gases; de cualquier modo, no siempre es así para todos los niños. Las siguientes hierbas se administran a menudo en infusión. La dosis de cada una debe ser pautada por tu fitoterapeuta.

Manzanilla: Las dulces y aromáticas flores de esta planta calman el estómago, disminuyen la flatulencia y actúan como un sedante suave. Su principal agente activo, la apigenina, calma los nervios y alivia la ansiedad, lo que hace de la manzanilla la hierba estrella para apaciguar los terrores nocturnos y la ansiedad infantiles.

Semilla y raíz de hinojo: De reconocida acción antiespasmódica, el hinojo es un remedio herbal muy popular para el cólico. Los aceites esenciales, flavonoides y esteroles vegetales que contiene reducen los espasmos del sistema digestivo y disminuyen la producción de gases.

Menta: Se ha demostrado que los aceites esenciales y los flavonoides de la menta mejoran los cólicos flatulentos, los espasmos digestivos y el dolor asociado con estas dolencias. La menta tiene buen sabor y suele ser bien aceptada.

Las flores de manzanilla contienen apigenina, que tiene propiedades relajantes.

DIARREA

SÍNTOMAS

- Heces blandas, acuosas o líquidas.
- Movimientos intestinales frecuentes.
- Pérdida de apetito.
- Heces de olor desagradable.
- Calambres intestinales.
- Hinchazón y flatulencia.
- Náuseas y vómitos.
- Fiebre.
- Deshidratación. El cuadro incluye pequeñas cantidades de orina oscura, sopor y sed. La deshidratación es más grave en niños pequeños.

OBJETIVOS DEL TRATAMIENTO

Establecer la causa de la diarrea y tomar medidas para controlar los síntomas y rehidratar el cuerpo.

DIAGNÓSTICO

La diarrea se produce cuando la membrana mucosa que recubre las paredes intestinales se irrita e inflama, haciendo que las heces pasen demasiado rápido y absorban gran cantidad de líquido. También puede aparecer un ligero sangrado. Se acompaña de dolores abdominales, náuseas y vómitos.

La diarrea a menudo es causada por un virus o bacteria que se transmite de una persona a otra. Puede ser aguda, con una duración de 24 horas, o crónica, que puede durar más de 2 semanas, y normalmente indica un desorden intestinal. Quienes sufran diarrea crónica, especialmente si hay sangre en las heces, deben acudir al médico inmediatamente. La diarrea también puede ser un síntoma de intolerancia a algún alimento.

MEDICINA CONVENCIONAL

Para tratar la diarrea, la medicina convencional se centra en rehidratar el cuerpo y devolver los niveles de nutrientes a la normalidad. Lávate las manos a menudo y evita preparar la comida durante la enfermedad para no expandir la infección.

La rehidratación es importante al tratar la diarrea

Rehidratar el cuerpo: Para preparar una solución rehidratante, mezcla ¼ de agua limpia y filtrada con 2 cucharadas de azúcar, ½ de bicarbonato y ½ de sal. Se debe beber con frecuencia a lo largo del día.

Dieta: Se recomiendan los carbohidratos complejos blandos, como los plátanos, el arroz, las patatas y las tostadas. El té negro es un antidiarreico natural. Las frutas y vegetales (excepto los mencionados antes) deben evitarse, así como los alimentos azucarados procesados, los lácteos y las grasas. Los lactantes deben continuar con el pecho, pero debemos aportarles un fluido oral rehidratante suplementario como el descrito en la página 80. También se pueden añadir probióticos (bacterias beneficiosas que viven en los intestinos). Algunas fórmulas botánicas con regaliz, malva y nogal negro pueden ayudar a restablecer la salud intestinal durante o inmediatamente después de un episodio de diarrea.

Medicación: No des al niño un medicamento antidiarreico sin receta. La loperamida, el kaopectate, el imodium y el subsalicilato de bismuto se pueden emplear en niños mayores de 12 años siguiendo siempre las indicaciones, pero nunca durante más de 3 días.

Complicaciones: Hay motivo de preocupación si la diarrea se acompaña de dolor de cabeza, fiebre alta, dolor abdominal fuerte, sangre y moco en las heces; o si dura más de 3 días. En cualquiera de estos casos, se realizará un análisis de sangre, un examen del abdomen y un test de las heces en busca de bacterias y parásitos. A veces se aporta rehidratación intravenosa. El cuidado extremo debe ser puesto en práctica cuando la diarrea afecta a los más pequeños, puesto que este grupo es particularmente sensible a la deshidratación.

MEDICINA TRADICIONAL CHINA

Plantas: Para elaborar las siguientes fórmulas, pon las hierbas en una olla de cerámica o cristal y añade 3 o 4 tazas de agua. Hierve a fuego lento durante 30 minutos. Deja enfriar y dale a tu hijo 1 taza 2 veces al día.

- *Diarrea aguda.* Combina 12 g de Ge Geng (raíz de pueraria), 6 g de Chen Pi (cáscara de mandarina), 12 g de Cang Zhu (rizoma de *Atractylodes*), 10 g de Hou Po (corteza de magnolia), 5 g de Gan Cao (raíz de regaliz) y 5 g de jengibre fresco.

CONSEJO

AGUA Y JABÓN

Sencillas medidas de higiene, como lavarse las manos con agua y jabón después de ir al baño, pueden ayudar a prevenir la difusión de la enfermedad.

• *Para la diarrea debida a la humedad y el calor:* Los síntomas incluyen heces amarillas-marrones, así como pequeñas cantidades de orina amarilla. Mezcla 12 g de Bai Shao (raíz de peonía blanca), 5 g de Huang Lian (raíz de coptis), 10 g de Huang Qin (raíz de escutelaria) y 10 g de Bai Tou Weng (raíz de anémona china).
• *Para la diarrea debida a un trastorno emocional:* Los síntomas son dolor de estómago, heces pegajosas, ansiedad o depresión, pérdida de apetito y eructos. Mezcla 10 g de Chai Hu (*Bupleurum*), 8 g de Bo He (*Mentha arvensis*), 10 g de Mu Xiang (raíz de costus), 12 g de Bai Shao (raíz de peonía blanca), 8 g de Zhi Ke (naranja amarga) y 3 g de Gan Cao (raíz de regaliz).

Acupresión: Presiona los puntos Hegu, en el dorso de la mano entre el pulgar y el índice, el punto Guan Yuan, en la mitad del abdomen, unos 7,5 cm debajo del ombligo y el punto Sunsali, 7,5 cm bajo la rótula y 2,5 cm hacia fuera durante 1 minuto 2 o 3 veces al día.

HOMEOPATÍA

Los siguientes consejos pueden ayudar a disipar una diarrea reciente y leve que haya sido provocada por una causa obvia. La diarrea crónica debe ser tratada por un homeópata.

El *Arsenicum album* puede ayudar si el niño está frío y tembloroso.

Arsenicum album: Si la diarrea se acompaña de una profunda sensación de frío y temblores, así como de cansancio, agotamiento y ansiedad, usa *Arsenicum album*. La sensación de quemazón en el tracto digestivo se calma temporalmente tomando pequeños sorbos de bebidas calientes.

Podophyllum: Si la diarrea es acuosa y produce retortijones, usa *Podophyllum*. Los síntomas son una sensación de estar profundamente agotado tras vaciar los intestinos y un sonoro gorgoteo en el intestino antes de un episodio de diarrea. Las heces líquidas se producen por haber comido mucha fruta o una excesiva cantidad de leche.

Veratrum album: Si los episodios de diarrea conducen a un estado de agotamiento como resultado de los retortijones y del esfuerzo de limpiar el intestino, usa *Veratrum album*. La piel palidece y está fría y húmeda al tacto. También se puede sentir una insaciable necesidad de beber gran cantidad de agua fría. Es raro que el apetito no se vea afectado.

FITOTERAPIA

El tratamiento depende de la causa de la diarrea. Aun las plantas más eficaces variarán si la causa es una infección viral como la gastroenteritis, síndrome de colon irritable, enfermedad inflamatoria del intestino, intolerancia alimentaria o alergia. Sin embargo, hay algunas plantas que pueden ayudar a calmar los síntomas hasta que se detecte la causa soterrada.

Astringentes: Esta clase de plantas contienen unos compuestos llamados *taninos* que, cuando entran en contacto con tejidos como la piel o la mucosa intestinal, los secan y curan. En este sentido, las plantas con taninos pueden disminuir la pérdida de agua a través de los intestinos. Los taninos no tratan la causa de la diarrea y, en caso de envenenamiento o infección, cuando la diarrea puede ser útil para limpiar el cuerpo de sustancias nocivas, el uso de astringentes podría empeorar el problema. Un astringente común es la vaina de algarroba, que puede aliviar la frecuencia y el volumen de la diarrea. Tu naturista te podrá aconsejar añadir una pequeña cantidad de polvo a la comida para enmascarar su sabor y hacerlo más grato. La hoja y la raíz de frambuesa también son astringentes. Se puede tomar en forma de infusión (hoja) o de decocción (raız).

El hidrastis puede ser recomendable si la diarrea es fruto de una infección en los intestinos.

Hidrastis: Puede que tu médico naturista te aconseje usar hidrastis si la causa de la diarrea es una infección en los intestinos. La raíz se usa frecuentemente en forma de tintura, y se cree que sus efectos antibacterianos se deben al compuesto alcaloide de berberina que contiene. La hidrastis es una planta amenazada en su hábitat natural debido a la sobreexplotación, así que cualquier producto debe provenir de las empresas que la cultivan u obtenerse directamente de los productores.

ASMA

SÍNTOMAS

- Sibilancias o «pitos».
- Tos seca, irritante y persistente.
- Tos nocturna.
- Dificultad para respirar.
- Toses y resfriados persistentes.
- Jadeos al respirar.
- Opresión en el pecho.
- Tos matutina.

DIAGNÓSTICO

Se trata de una enfermedad inflamatoria que afecta a las vías respiratorias, causando problemas para respirar. Los asmáticos tienden a ser sensibles a varios tipos de agentes irritantes de la atmósfera, que pueden desencadenar una contracción de las vías respiratorias; los más comunes son el pelaje de las mascotas, sus plumas, el pelo, la caspa o la saliva, los ácaros, los perfumes y otras sustancias perfumadas, los contaminantes ambientales y el humo del tabaco, las atmósferas frías y brumosas, el ejercicio, el estrés y la ansiedad. También existe una predisposición genética a contraer esta enfermedad.

BUSCA AYUDA MÉDICA

Un ataque grave de asma, que provoca una respiración extremadamente dificultosa, es una experiencia aterradora. Se pueden presentar otros síntomas como taquicardia. En caso de ataque de asma grave, pide ayuda médica.

OBJETIVOS DEL TRATAMIENTO

El tratamiento busca controlar los síntomas. El asma es una enfermedad que requiere fármacos convencionales.

Los niños asmáticos pueden ser sensibles a agentes irritantes como el pelo de las mascotas, los contaminantes medioambientales y la niebla.

MEDICINA CONVENCIONAL

El *Status asthmaticus* es un tipo de asma grave e incesante, que no responde al tratamiento. Se trata de una emergencia médica y debe ser atendida inmediatamente en la sala de urgencias de un hospital, donde se pueden administrar oxígeno, tratamientos respiratorios y medicamentos intravenosos.

Haz cambios en el estilo de vida: Es importante identificar cualquier detonante del ataque de asma y hacer cambios en el estilo de vida si es necesario. Evitar los lácteos puede ser de ayuda. Mantén el entorno del niño limpio de polvo y practica técnicas de reducción del estrés como la respiración profunda y la meditación.

Medicación: El tipo de medicación indicada para tratar el asma en niños menores de 5 años varía de acuerdo con la gravedad del caso. Se puede usar un inhalador de acción corta (perteneciente a los medicamente conocidos como *beta agonistas*) para disipar inmediatamente los episodios de sibilancias. Esto suele ser suficiente para los casos de asma donde los ataques son infrecuentes. Para el asma agudo pero persistente, se recomienda un inhalador de corticoesteroides de baja dosis. A su vez, se pueden usar otras clases de medicación como el cromolín de sodio, el montelukast, el ipratropium y la teofilina. Para el asma crónico, se emplea una combinación de estos medicamentos. Puede ser necesario tomar un esteroide como la prednisolona durante un corto periodo.

MEDICINA TRADICIONAL CHINA

El tratamiento para los casos agudos y crónicos de asma se basa en fortalecer el Qi de los pulmones y el bazo, tonificar los riñones y los pulmones y complementar la medicina convencional. Las decocciones herbales y las píldoras no sustituyen a los inhaladores u otra medicación, que debe usarse según las recomendaciones de tu médico. En cualquier caso, puedes consultarle la posibilidad de reducir la medicación utilizando remedios herbales.

CONSEJO

MANTÉN LA CALMA

Si el niño empieza a resollar cuando se tumba, incorpórale para facilitar la expansión natural del pecho. Aunque sea difícil, el objetivo es que relaje el pecho tanto como sea posible. Los músculos se tensan instintivamente en respuesta a las sensaciones de ansiedad y pánico, dificultando la respiración.

Plantas: Pon las hierbas en una olla de cerámica. Añade 3 tazas de agua y hierve a fuego lento durante 30 minutos.

- *Para fortalecer el Qi de pulmones y bazo:* Los síntomas son fatiga, tos frecuente con flema blanca o heces sueltas y distensión del abdomen. Combina 10 g de ginseng, 12 g de Bai Zhu (raíz de *Atractylodes* blanco), 15 g de Fuling (hongo poria), 12 g de Huang Qi (raíz de astrágalo), 12 g de Wu Wei Zi (bayas de *Schisandra*), 12 g de San Bai Pi (cáscara de raíz de morera), 6 g de Chen Pi (cáscara de mandarina), 12 g de Fa Ban Xia (rizoma de *Pinellia*) y 5 g de Gan Cao (raíz de regaliz). Dale a tu hijo a beber 1 taza 2 veces al día de 3 a 6 meses.
- *Para tonificar riñones y pulmones:* Los síntomas incluyen falta de aire al menor movimiento y dificultad para inhalar. Combina 12 g de Wu Wei Zi (bayas de *Schisandra*), 15 g de Shan Yao (batata china), 12 g de Tu Si Zi (semillas de cuscuta china), 15 g de Fuling (hongo poria), 12 g de Shu Di Huang (dedalera china cocinada), 12 g de Shan Zhu Yu (cereza cornalina asiática) y 8 g de Rui Gui Zhi (cáscara interna de la canela Saigon). Dale 1 taza 3 veces al día durante 3 meses.
- *Píldoras herbales patentadas:* Se puede tomar Ding Chuang Wan o Zhi Shu Ding Chuan Wan para complementar la medicación convencional. Adminístralo como indique la etiqueta o consulta con tu terapeuta de medicina tradicional china.

HOMEOPATÍA

Es poco probable tratar el asma adecuadamente en casa. Los remedios homeopáticos sugeridos a continuación pueden ayudar a aliviar los síntomas del asma agudo, pero no deben emplearse en casos graves. Un tratamiento pautado por un homeópata puede ser muy beneficioso.

Kali carbonicum: Si los síntomas del asma se agravan con el movimiento o por la exposición a climas fríos o cálidos, prueba *Kali carbonium*. Además, se puede notar un sabor desagradable en la boca y una sensación de frío en el pecho durante los episodios de tos. Los espasmos de la tos son frecuentes por el esfuerzo de expectorar el moco. Los síntomas se recrudecen de 00.00 a 04.00 h.

El *Aconitum* se emplea en diluciones infinitesimales.

Aconitum: Este remedio ayuda si los síntomas surgen a partir de la exposición a vientos fríos y muy secos. Las víctimas se pueden ir a la cama sintiéndose bien y despertarse de un corto sueño sintiéndose aterrorizados y sin respiración. Los espasmos de la tos suenan roncos y secos y se puede sentir calor en los pulmones, además de un cosquilleo al terminar el espasmo. Los síntomas a menudo aparecen tras un sobresalto, al sentir pánico, terror o inquietud.

Arsenicum album: Adecuado si los síntomas tienden a empeorar de 00.00 a 02.00 h. Los síntomas son ansiedad mezclada con sensación de inquietud. Las víctimas pueden sentirse heladas, pero aunque quieran calor, la cabeza y la cara se alivian en contacto con el aire frío. Las atmósferas con humo de tabaco o perfumadas pueden desencadenar los ataques de tos y las sibilancias.

FITOTERAPIA

Boswellia: Las dificultades respiratorias asociadas con el asma, la excesiva producción de moco y la inflamación crónica se deben a la hiperactividad de los músculos que bordean nuestras vías respiratorias. Algunas investigaciones recientes demuestran que la *Boswellia* contiene ciertos compuestos químicos que protegen contra la inflamación, volviendo muy útil esta hierba en el tratamiento del asma crónico. Es importante señalar que los extractos usados fueron de resina, donde se cree que están los compuestos activos, no eran de materia vegetal en bruto. La *Boswellia* no se debe tomar al mismo tiempo que algunos medicamentos contra el asma. Tu médico naturista podrá aconsejarte al respecto.

Pinus pinaster: Este extracto de una especie de pino puede ser útil para el asma de los niños mayores. Se ha estudiado en combinación, no en sustitución, del tratamiento farmacéutico del asma. Puede estimular el sistema inmunitario, así que no debe mezclarse con inmunosupresores.

CONSEJO

UNA BEBIDA CALIENTE

Si se desencadena un episodio moderado de asma por la exposición a vientos fríos, deja que el niño descanse en una habitación confortable y caliente, y anímale a tomar una bebida caliente para facilitar la relajación de las vías respiratorias.

CRUP

SÍNTOMAS

- Presenta los mismos síntomas del resfriado.
- Característica tos profunda, ronca.
- Carraspera y respiración ruidosa.
- Ocasionalmente, afonía.
- Elevación de la temperatura y fiebre.
- El cuadro empeora por las noches y después de las siestas.

DIAGNÓSTICO

El crup es una enfermedad que inflama las vías respiratorias, produciendo en una tos ronca y dificultad respiratoria. Generalmente afecta a niños menores de 5 años. Algunos niños son propensos y parece que las alergias pueden ser un factor desencadenante de los ataques frecuentes de crup. El crup tiende a progresar rápidamente, y su causa, normalmente, es una infección vírica de las vías altas. En la mayoría de los casos desaparece por sí solo en unos días. Sin embargo, la tos y los problemas respiratorios pueden permanecer durante mucho tiempo. Con menos frecuencia, el crup es señal de que existe una enfermedad más grave, como la difteria. El virus del crup se contagia a través de la tos y los estornudos o por el contacto físico. Los casos agudos requieren ingreso hospitalario.

MEDICINA CONVENCIONAL

El nombre médico de esta enfermedad vírica es *laringotraqueobronquitis aguda*. El tratamiento se centra en la protección de las vías respiratorias.

OBJETIVOS DEL TRATAMIENTO

El crup no se cura con antibióticos. Se puede tratar en casa, generalmente, para aliviar los síntomas y prevenir las recaídas.

Reconfortar al niño: La mayoría de los casos agudos de crup se pueden manejar en casa con descanso, hidratación y dieta blanda.

Inhalaciones de vapor: Podemos lograr un alivio inmediato inhalando vapor. Por ejemplo, cerca de una ducha caliente con supervisión parental e inhalando profundamente. También ayuda poner un humidificador en el cuarto del niño.

¿Cuándo es conveniente ir al médico? Si la enfermedad no mejora en unos días o si el niño tiene una evidente

CONSEJO

MANTÉN LA CALMA

Si a tu hijo le da un ataque de pánico, esto puede agravar los síntomas y hacer la respiración más dificultosa. Mantén la calma para que el niño se sienta consolado y seguro.

dificultad para respirar (por ejemplo, usa los músculos intercostales o sobresalen los del cuello) lleva al niño al servicio de urgencias más próximo, donde le administrarán oxígeno. Otro signo de alarma es un sonido respiratorio conocido como *estridor* (similar a un silbido), lo que indica que las vías respiratorias se están cerrando progresivamente y requiere una evaluación de emergencia. La epinefrina es otro tratamiento adecuado, aplicable en forma de espray cada 20 minutos, para relajar los músculos de las vías respiratorias. Los esteroides (normalmente, prednisona) se administran por vía intravenosa u oral.

MEDICINA TRADICIONAL CHINA

Plantas: Mezcla 6 g de Huang Qin (raíz de escutelaria), 8 g de Lian Qiao (fruta de la forsythia), 6 g de Jin Yin Hua (flor de madreselva), 8 g de Zhi Zi (fruto de la gardenia jasminoides), 6 g de Gan Cao (raíz de regaliz), 8 g de Xin Ren (semilla de albaricoque), 3 g de Ma Huang (tallo de efedra) y 5 g de Bo He (mentha arvensis) en una olla de cerámica o cristal. Añade 3 tazas de agua y hierve a fuego lento durante 30 minutos. Cuela el líquido resultante y dale a tu hijo 1 taza 2 veces al día.

Acupresión: Presiona el punto Tian Tu, que se encuentra a lo largo de la línea central de la garganta en la depresión de la clavícula. Pulsa también los puntos Fei Shu en la espalda: 7,5-10 cm bajo la nuca, en la tercera vértebra torácica, y casi 4 cm a cada lado de la espina dorsal. Los puntos Ding Chuan están en el centro de la espalda en la base del cuello, 1,5 cm a cada lado. Sienta al paciente y usa la punta de los dedos para aplicar una presión suave en esos puntos 3 veces durante 1 o 2 minutos, 2 veces al día. Tu terapeuta evaluará la evolución del niño.

El Xin Ren, de la semilla de albaricoque, puede calmar las afecciones que producen sibilancias.

Dieta: Rábano daikon y comida que disipe el calor como la sandía, judía mungo, portulaca, menta, manzanas, trigo y salvado de trigo, mandarinas, berenjena, espinacas, champiñones y pepino.

HOMEOPATÍA

Se puede usar cualquiera de los siguientes remedios homeopáticos para aliviar los síntomas de un brote agudo y leve de crup. Si tu hijo suele experimentar síntomas graves y recurrentes, sería beneficioso que le evaluara y tratara un homeópata experimentado. Su objetivo será fortalecer el sistema inmunitario de tu hijo, para que los episodios de crup vayan siendo menos fuertes y menos frecuentes hasta que desaparezcan por sí solos.

La planta venenosa *Aconitum napellus* se emplea para preparar el *Aconitum*, que puede ayudar con los síntomas relacionados con las corrientes de aire frío.

Aconitum: Aconsejable para tratar los síntomas de crup que se desarrollan tras la exposición a vientos fríos y secos o después de una experiencia traumática. El niño puede irse a la cama encontrándose bien para despertarse abruptamente en estado de pánico, ansiedad y angustia. También se puede presentar una tos ronca y seca que desencadena miedo y tensión, haciendo la respiración aún más difícil.

Spongia tosta: Si la tos es áspera e irritante y el niño se angustia al hablar, inspirar o al estar alterado, considera usar *Spongia*. Los síntomas tienden a presentarse justo cuando el niño se duerme.

Drosera: Prueba este remedio si los síntomas de crup se presentan o se intensifican pasada la medianoche y cuando la tos aparece justo después de tumbarse. El niño puede tener una fuerte ronquera, y toser supone tanto esfuerzo que incluso puede sufrir arcadas y vomitar. Encorvarse agrava los síntomas, mientras el contacto con el aire fresco puede ayudar.

FITOTERAPIA

No hay ningún remedio herbal adecuado para esta enfermedad.

SIBILANCIA

SÍNTOMAS

- El niño tiene dificultad para respirar.
- Su respiración es rápida y superficial.
- Le falta el aliento.
- Su respiración es ruidosa y a veces crepitante.

DIAGNÓSTICO

Se trata de una afección médica en la que la respiración se vuelve dificultosa y ruidosa. Se clasifica de moderada a grave y, en algunos casos —como cuando se asocia con los ataques de asma—, puede ser potencialmente mortal. La sibilancia se caracteriza por un silbido agudo, fruto del aire que fluye a través de las vías respiratorias estrechadas. Es muy habitual en pacientes asmáticos. Hay varias enfermedades que pueden causarla, como la bronquiolitis, el crup y las alergias. El ejercicio puede agravar la sibilancia, así como la exposición al frío, a la contaminación y a los ambientes donde se fuma. Es más frecuente en niños pequeños.

OBJETIVOS DEL TRATAMIENTO

Es importante detectar la causa exacta de la sibilancia. Si al paciente se le ha diagnosticado una enfermedad más grave, como asma o EPOC, serán necesarias nuevas medidas para tratar y controlar la enfermedad asociada.

El ejercicio puede agravar la sibilancia en los niños.

BUSCA AYUDA MÉDICA INMEDIATA

La sibilancia que no responde a los medicamentos es un asunto serio. Si el niño es incapaz de captar suficiente oxígeno, se trata de una emergencia. Busca ayuda médica inmediata para la sibilancia grave que no remite.

MEDICINA CONVENCIONAL

Dieta: Elimina los alimentos procesados, los lácteos y el gluten si tiene asma. La sibilancia se acompaña de la inflamación o hinchazón de la mucosa de las vías respiratorias. Disminuir esta inflamación puede ayudar a mantener la sibilancia a raya. Podemos dar a los niños 2 g de un antiinflamatorio natural, como el aceite de pescado (omega-3).

Evita los alérgenos: Esta dolencia puede aparecer cuando las vías respiratorias reaccionan a factores externos o internos. Reconocer y evitar esos desencadenantes es una clara medida de prevención. Los alérgenos habituales son el polvo, el polen, el tabaco y algunos alimentos.

Medicación: Para detener un ataque suave de sibilancia, se puede inhalar una combinación de albuterol e ipratropium. También se pueden inhalar corticosteroides para prevenir o tratar la sibilancia, así como los medicamentos conocidos como *estabilizadores de los mastocitos*. Los antagonistas de los receptores de leucotrienos y la teofilina también son preventivos. En el hospital se administra oxígeno cuando los niveles de oxígeno son críticos.

Las alergias pueden provocar sibilancia.

ASISTENCIA MÉDICA

Llama a tu médico urgentemente si se produce un episodio aislado de sibilancias o si la piel se vuelve azulada durante un ataque. También si la sibilancia empieza a ser recurrente, sin explicación, o si la causa es una reacción alérgica a una picadura o a una medicación.

MEDICINA TRADICIONAL CHINA

Plantas: Para cada fórmula, mezcla las hierbas con 3 tazas de agua en una olla de cerámica. Hierve a fuego lento durante 30 minutos y cuela el líquido. Dale al niño 1 taza 2 veces al día.

- *Para la sibilancia que se presenta en los meses fríos y se asocia con escalofríos y moco claro o blanco:* Mezcla 10 g de Gui Zhi (canela), 12 g de Bai Shao (raíz de peonía blanca), 12 g de Wu Wei Zi (*schisandra*), 5 g de jengibre seco, 12 g de Fa Ban Xia (rizoma de pinellia) y 5 g de Gan Cao (raíz de regaliz).
- *Para la sibilancia asociada a fiebre, sed y moco amarillo:* Mezcla 12 g de Xin Ren (semilla de albaricoque), 12 g de San Bai Pi (cáscara de raíz de morera), 12 g de Huang Qin (escutelaria), 10 g de Kwan Dong Hua (tusilago), 10 g de Zi Su Ye (hoja de perilla), 12 g de Bai Guo (nuez de ginkgo) y 6 g de Gan Cao (regaliz).

Acupresión: Presiona los puntos Feng Chi, Tan Zhong y Nei Guan. Los puntos Feng Chi se sitúan en la parte posterior de la cabeza, en la base del cráneo, 5 cm a cada lado de la columna. Usa la punta del dedo para aplicar una presión media al punto Nei Guan, situado en el centro de la muñeca por el lado de la palma, unos 5 cm por encima del pliegue, durante un minuto. Además, aplica una presión media al punto Tan Zhong, situado en el punto medio entre los pezones, durante 1 minuto.

Dieta: Son recomendables las peras, las aceitunas, la pimienta china Bi Ba y el kiwi. Además, hay varias recetas que pueden ayudar con la sibilancia. Prueba a hervir 30 g de almendras y 150 g de arroz blanco en 5 tazas de agua durante 45 minutos. Este preparado se puede comer a diario durante 5 días.

Las semillas de almendra hervidas con arroz blanco son una buena receta para quienes sufren sibilancia.

HOMEOPATÍA

Cualquiera de los siguientes remedios homeopáticos puede ayudar a mejorar los síntomas de una sibilancia suave que haya surgido tras la exposición a un desencadenante claro. Los episodios agudos y relacionados con una enfermedad crónica como el asma requieren atención profesional y tratamiento de un médico homeópata experimentado.

Aconitum: Si la sibilancia aparece inmediatamente después de una experiencia emocional traumática o después de la exposición a corrientes frías y secas, usa *Aconitum*. Este remedio es adecuado cuando se manifiesta una intensa sensación de pánico como respuesta a la sensación de ahogo, a veces desproporcionada con respecto a la intensidad de los síntomas.

Arsenicum album: Si la sibilancia se presenta por la noche o en las primeras horas de la mañana, a menudo como consecuencia de sentirse ansioso e inquieto, prueba *Arsenicum album*. La opresión en el pecho mejora al descansar sentado y apoyado sobre 2 o 3 almohadas, y es más intensa y angustiosa al tumbarse. Los síntomas son agotamiento, ansiedad, náuseas y escalofríos al sentirse enfermo. Si apareciera tos, es más probable que sea seca y rasposa antes que suelta y productiva.

FITOTERAPIA

La sibilancia puede indicar que existe una enfermedad más grave, y siempre debe ser evaluada por un médico. Una vez lo haga, hay varias plantas medicinales que pueden abrir las vías respiratorias y disminuir la inflamación de los pulmones. Tu fitoterapeuta podría recomendarte el tratamiento más adecuado para tu hijo.

Hierba santa: Esta planta puede ser utilizada para cualquier tipo de enfermedad pulmonar que pueda causar la sibilancia con gran cantidad de moco, como el asma, la bronquitis, el resfriado o la fiebre del heno. La hierba santa diluye el moco y estimula la expectoración desde los pulmones. Además, abre los bronquiolos, lo que permite mayor flujo de aire a través de los pulmones.

La hierba santa se usa para tratar la sibilancia.

TOS FERINA

SÍNTOMAS

- Un resfriado.
- Ataques de tos.
- Característico ruido de zumbido al toser.
- Dificultad para respirar.
- Ocasionalmente, la piel en torno a los labios se vuelve azulada.
- Vómitos (en niños mayores).

OBJETIVOS DEL TRATAMIENTO

La mayoría de casos de tos ferina no requiere tratamiento específico. Los niños pequeños con otras afecciones como el asma requieren un seguimiento constante, a menudo en un hospital.

DIAGNÓSTICO

La tos ferina es una infección que produce inflamación de las vías respiratorias y acumulación de moco. Puede ser muy grave en bebés menores de 1 año, y en los peores casos puede causar daño cerebral y pulmonar. Muy contagiosa, se transfiere de una persona a otra a través de partículas en el aire. La lactancia materna no protege de la tos ferina, por lo que se recomienda la vacunación temprana. A veces, los niños vacunados desarrollan un caso leve de tos ferina.

Las complicaciones de la tos ferina son bronquitis, neumonía e infecciones de oído, y todas ellas pueden cursar con fiebre alta. La tos puede durar más de 10 semanas, una duración mucho mayor que la de otras dolencias infantiles.

MEDICINA CONVENCIONAL

El tratamiento de la tos ferina se centra en prevenir la propagación gracias a la vacuna. El departamento de inmunización infantil la incluye en el calendario vacunal. Todos los bebés menores de 1 año enfermos de tos ferina deben ser evaluados para su hospitalización, y los niños que hayan estado en contacto con un enfermo deben tomar antibióticos profilácticos. El centro de salud local debe conocer todos los casos.

Antibióticos: Aunque los antibióticos tienen poco efecto sobre la enfermedad una vez se han presentado los síntomas, se administran para acortar el tiempo de recuperación. También previenen la propagación de la enfermedad. La eritromicina es el antibiótico de referencia y normalmente se toma durante 14 días. Para los niños intolerantes a esta clase de medicamento, podemos usar trimetoprim-sulfametoxazol.

Tratar la tos: A veces son útiles los corticosteroides para prevenir los espasmos de la tos en casos graves. Los antitusivos más habituales no funcionan y, de hecho, pueden causar más espasmos de tos.

MEDICINA TRADICIONAL CHINA

Plantas: Prepara una decocción para cada fórmula mezclando las hierbas en una olla de cerámica o cristal. Añade 3 tazas de agua, lleva a ebullición y hierve durante 30 minutos. Extrae el líquido y dale al niño de ½-1 ml 3 veces al día.

- *Fase temprana de la tos ferina (2 primeras semanas):* Mezcla 8 g de Jing Jie (tallos y capullos de *Schizonepeta*), 8 g de Yuan Zhi (raíz de polygala senega china), 8 g de Bai Qian (raíz y rizoma de *Cynanchum*), 8 g de Bai Bu (raíz de *Stemona*), 5 g de Chen Pi (cáscara de mandarina), 12 g de Jie Geng (raíz de *Platycodon*) y 3 g de Gan Cao (raíz de regaliz).
- *Fase intermedia de la tos ferina (semanas tercera a sexta):* Mezcla 8 g de Sang Bai Pi (cáscara de raíz de morera), 8 g de Di Gu Pi (corteza de raíz de bayas Goji), 6 g de Huang Qin (raíz de escutelaria), 6 g de Tao Ren (semilla de melocotón), 8 g de Dong Gua Ren (semilla de calabaza china), 8 g de Yu Xing Cao (*Houttuynia*) y 8 g de Bai Mao Gen (rizoma de *Imperata cylindrica*).
- *Última fase de la tos ferina:* Mezcla 3 g de ginseng, 10 g de Bai Zhu (rizoma de *Atractylodes*), 10 g de Fuling (poria), 12 g de Mai Men Dong (*Ophiopogon*), 10 g de Wu Wei Zi (*Schisandra*) y 3 piezas de Da Zhao (azufaifa china).

Acupresión: Aplica una presión suave sobre los puntos Fei Shu y Din Chuan con la punta del dedo estando el niño sentado. Los puntos Fei Shu se sitúan en la espalda, casi 4 cm a cada lado de la espina dorsal y 7,5-10 cm debajo del cuello, en la tercera vértebra torácica.
Los puntos Din Chuan también están en la espalda, 1 cm a cada lado de la base del cuello. También con la punta del dedo, aplica una presión media al punto Lie Que, localizado en el interior del antebrazo, unos 4 cm por debajo del pliegue de la muñeca y entre el músculo y el tendón del pulgar.

CONSEJO

PREPARA UNA DIETA BLANDA

Si tu hijo tiende a vomitar después de un ataque de tos, prueba a darle una pequeña cantidad de comida ligera para que coma tan pronto se le pase. Esto le dará la oportunidad de retener los alimentos, especialmente si son lo más digeribles posible.

Incluye caldos hechos con arroz, verduras frescas ligeramente cocinadas, zumos de fruta fresca, huevos revueltos, tostadas y pequeñas cantidades de pescado fresco. Los alimentos de digestión pesada son los ricos en grasa, como los lácteos (que además aumentan la producción de moco) y la carne roja. También debemos evitar los productos azucarados, ya que pueden empeorar las náuseas cuando el estómago está sensible.

HOMEOPATÍA

Cualquiera de los siguientes remedios puede contribuir a aliviar los síntomas de un ataque agudo de tos ferina en un niño mayor. Independientemente de ello, los síntomas más graves requerirán atención profesional médica y homeopática, especialmente en bebés menores de 6 meses.

Antimonium tartaricum: Si hay una audible cantidad de moco crepitando en el pecho, usa *Antimonium tartaricum*. El niño puede doblarse instintivamente hacia atrás durante un ataque de tos con el fin de facilitar la expectoración del moco. Otros síntomas son dificultad para respirar antes de un ataque de tos y vómitos después de él. El niño generalmente se siente mejor tras vomitar.

Carbo vegetabilis: Valora este remedio si, tras el ataque de tos, el niño palidece y parece exhausto y sudoroso. Siente una fuerte necesidad de aire frío y necesita que le abaniques para sentirse mejor. Las habitaciones cerradas sin ventilación agravan su incomodidad. Hablar desencadena ataques de tos, mientras que aflojar la ropa proporciona alivio.

Corallium rubrum: Si la sensación de asfixia precede a los espasmos de tos y a continuación se suceden vómitos de mucosidad pegajosa, dale *Corallium rubrum*. Los episodios de tos son más frecuentes poco después de comer y suceden rápido y de continuo. Es probable que la temperatura del cuerpo sea inestable, con tendencia a sentir mucho calor un momento y mucho frío al siguiente.

El coral rojo es la base del remedio homeopático *Corallium rubrum*.

FITOTERAPIA

Un médico debe seguir de cerca los síntomas de la tos ferina, sobre todo en niños muy pequeños, y posiblemente sea necesario el uso de antibióticos y esteroides. Los niños mayores suelen presentar síntomas más leves, aunque la administración temprana de antibióticos disminuye el periodo en el que son contagiosos. Las plantas se usan para fortalecer el sistema inmunitario, aplacar los espasmos pulmonares y mitigar el reflejo de tos. Las dosis se ajustan según la edad del paciente; consulta a tu naturista las especificidades.

Drosera: Esta hierba es adecuada para tratar el espasmo de tos excesivo e incontrolable. Tiene propiedades sedantes, antiespasmódicas, emolientes y expectorantes. La drosera puede oscurecer la orina; no te alarmes. Puede que te la recomienden en forma de tintura diluida en agua.

Hierbas antimicrobianas: Ya que el moco que produce la tos ferina suele ser difícil de expectorar, es mejor combinar estas hierbas que desprenden el moco infectado de los pulmones. Las plantas que fortalecen el sistema inmunitario y combaten las bacterias son: uva de Oregón, ajo, *Andrographis* y tomillo. Se toman hasta que los síntomas desaparecen. Posiblemente te recomienden una tintura.

Hierbas antiespasmódicas y expectorantes: Los capullos de la grindelia contienen resinas que alivian los espasmos y favorecen la expectoración del moco desde los pulmones. Aunque es muy efectiva, en grandes dosis puede irritar el estómago. La raíz de helenio, planta aromática y agridulce, promueve la expectoración, también disminuye la inflamación y fortalece el sistema inmunitario. Puede ser recomendable una tintura de helenio y regaliz.

Emolientes y antitusivos: Si la tos es especialmente áspera, incluye hierbas que suavicen el tracto respiratorio y disminuyan la tos (antitusivos). Las hierbas antitusivas, como el tomillo, actúan como analgésico suave para el tejido pulmonar y alivian los espasmos. Tu fitoterapeuta te puede aconsejar la dosis segura para tu hijo. Los emolientes como el gordolobo a menudo contienen mucílagos o aceites que calman y curan los pulmones.

La drosera puede ayudar con la tos incontrolable.

FIEBRE REUMÁTICA

SÍNTOMAS

- La infección por estreptococo es el factor desencadenante.
- Dolores artríticos.
- Movimientos espasmódicos e irregulares de los miembros.
- Sarpullido.
- Problemas en las válvulas del corazón, disnea, palpitaciones.

OBJETIVOS DEL TRATAMIENTO

Los objetivos del tratamiento son reducir los síntomas, controlar la función cardíaca y sugerir formas de prevención.

DIAGNÓSTICO

Se trata de una enfermedad inflamatoria que puede afectar a muchos tejidos conectivos del cuerpo. Su causa no está clara, pero se relaciona con la infección por estreptococo: los síntomas suelen aparecer en las primeras 5 semanas tras un caso sin tratar de faringitis estreptocócica. Aun así, la mayoría de los casos no desembocan en fiebre reumática. El daño cardiaco permanente resultado de la fiebre reumática recibe el nombre de *cardiopatía reumática*. No existe cura; se puede prevenir con un tratamiento temprano de la faringitis estreptocócica con antibióticos. Afecta más a los niños, pero ahora es inusual, ya que la bacteria que la causa es menos común. Una vez se ha tenido fiebre reumática, se es más vulnerable a infecciones posteriores.

MEDICINA CONVENCIONAL

El tratamiento principal de la fiebre reumática son los fármacos antiinflamatorios como la aspirina. En casos graves, se prescriben medicamentos corticosteroides.

Antibióticos: Como primera línea de tratamiento, se prescribe penicilina durante 10 días. Una alternativa en casos de alergia puede ser usar eritromicina. Después del tratamiento es necesario un largo periodo de profilaxis.

Otra medicación: Se suele usar aspirina para aliviar el dolor de las articulaciones si no hay enfermedad cardiaca. Los corticosteroides se prescriben cuando hay una inflamación cardiaca significativa.

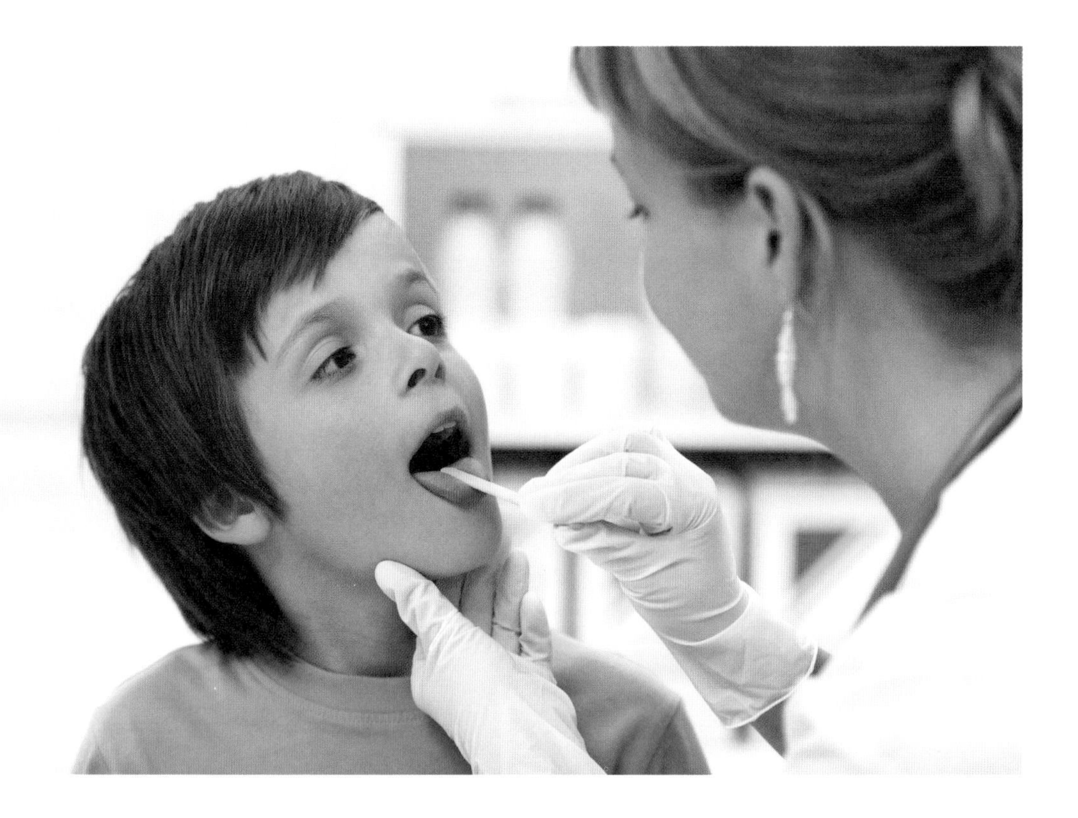

Los síntomas de la fiebre reumática suelen aparecer después de un caso sin tratar de faringitis estreptocócica.

Tratamiento en la fase aguda: Durante la fase aguda de la enfermedad, es necesario mucho reposo. Si la válvula cardiaca sufriera algún daño, se debe cambiar de antibiótico antes que probar otros tratamientos que prevengan la endocarditis bacteriana, una infección de las válvulas del corazón. Esto es necesario, ya que los antibióticos que se emplean para prevenir la recurrencia de la fiebre reumática aguda son inadecuados para prevenir la endocarditis bacteriana.

MEDICINA TRADICIONAL CHINA

Plantas: Mezcla 12 g de Huang Bai (phellodendron), 12 g de Cang Zhu (raíz de *Atractylodes*), 12 g de Zhi Mu (rizoma de *Anemarrhena*), 8 g de Gui Zhi (canela), 12 g de Bai Shao (raíz de peonía blanca), 12 g de Hu Zhang (raíz y rizoma de *Fallopia*) y 30 g de arroz blanco. Echa estas hierbas en una olla de cerámica o cristal y añade 3 tazas de agua. Lleva a ebullición y hierve durante 30 minutos. Cuela el líquido y dale a tu hijo 1 taza 2 veces al día. Continúa dando esta fórmula de 5 a 6 días para aliviar los síntomas y consulta con tu terapeuta de medicina china antes de alargarlo.

Acupresión: Presiona los puntos Qu Chi, Hegu y Tai Chong. Con el codo flexionado, el punto Qu Chi se encuentra en la parte externa, en el extremo lateral del pliegue. Los puntos Hegu se encuentran en el dorso de las manos, en la depresión entre el pulgar y el índice. Los puntos Tai Chong están en el empeine del pie, en la depresión entre el dedo gordo y el segundo dedo. Presiona estos puntos con la punta del dedo durante un minuto. Puede ayudar a aliviar un poco la fiebre, pero el efecto es moderado. Es recomendable que consultes a tu terapeuta de medicina china.

Dieta: Son recomendables los alimentos que disipan la humedad y el calor, como la flor de madreselva, la portulaca, la judía mungo, el cangrejo, la raíz de loto, las espinacas, la lechuga y las flores de jacinto. Evita las gambas, la ternera, el cordero y el chile, ya que pueden interferir con el tratamiento de hierbas y aumentar el calor en el cuerpo. Prepara comidas equilibradas que incluyan alimentos frescos antes que congelados. Además, asegúrate de que el niño beba suficientes líquidos durante el día.

Es recomendable tomar raíz de loto, ya que disipa el calor y la humedad.

HOMEOPATÍA

Esta enfermedad puede tener complicaciones graves y se combate mejor desde la medicina convencional. La homeopatía puede ser útil como complemento para fortalecer la constitución del niño. Puede que tu homeópata te sugiera cualquiera de los siguientes remedios, que, junto con el tratamiento convencional, harán sentirse mejor al paciente. Este cuadro requiere la atención de un profesional; no es adecuada la prescripción casera.

Aconitum: Si los síntomas de la fiebre se presentan rápidamente y de forma llamativa, a menudo durante el sueño y sumiendo al paciente en un estado de intensa ansiedad y angustia, el *Aconitum* puede ayudar. El dolor y la inflamación en las articulaciones magnifican la sensación general de malestar y miedo, ya que hay una marcada sensibilidad e intolerancia al dolor.

Pulsatilla: Se puede utilizar este remedio para tratar los dolores articulares. Descansar en una habitación caliente y sin ventilar normalmente hace sentirse peor al paciente, mientras que el contacto con el aire fresco ayuda. El paciente se muestra lloroso y dependiente, y responde bien al cariño, la atención y el afecto.

Dulcamara: Los síntomas que responden a este remedio a menudo se presentan tras la exposición al clima frío y húmedo. Las articulaciones enrojecen, se hinchan y están sensibles al tacto. El dolor fuerza al niño a cambiar mucho de posición para sentirse a gusto, y se pueden producir extenuantes ataques de diarrea.

Mercurius: Si la sudoración nocturna produce un olor desagradable y el dolor de las articulaciones es particularmente angustioso, haciendo difícil estar cómodo en la cama, se puede usar *Mercurius.* No es apropiado tomar este remedio durante la fase febril de la enfermedad, así que se suele indicar al término de la fase aguda.

La planta agridulce se emplea para preparar la Dulcamara, que puede ayudar con los síntomas agravados por el frío y la humedad.

FITOTERAPIA

No existe una terapia adecuada para esta enfermedad.

ENURESIS

SÍNTOMAS

- El niño todavía moja la cama pasados los 6 años.
- El pequeño empieza de repente a mojar la cama.
- El pis del niño tiene un olor fuerte o le duele cuando orina.
- El niño empieza a tener «accidentes» también durante el día.

DIAGNÓSTICO

La enuresis es más frecuente en niños muy pequeños y tiende a desaparecer entre los 2 y 5 años. Si hay un problema frecuente de control de esfínteres, puede ser indicio de un problema físico o psicológico que precise evaluación. La enuresis puede tener una causa médica, como una infección urinaria o la diabetes. También puede deberse a una causa psicológica, como la perspectiva de empezar el colegio. A veces simplemente se debe a que el niño tiene el sueño profundo o que aún no ha desarrollado el correcto control de la vejiga. Algunos niños producen poca hormona antidiurética, que controla la producción de orina; en ese caso, un espray nasal de desmopresina, adquirido con receta médica, puede ser de ayuda.

OBJETIVOS DEL TRATAMIENTO

El tratamiento busca eliminar cualquier enfermedad soterrada e introducir técnicas de apoyo para que el niño supere esta fase.

MEDICINA CONVENCIONAL

La enuresis raramente se debe a un problema psicológico, pero sí puede crear problemas como baja autoestima o estrés familiar. El médico debe evaluar en primera instancia al niño para descartar cualquier enfermedad oculta, como un resfriado, reflujo, una infección o problemas neurológicos.

Terapia motivacional: Este método de tratamiento implica el refuerzo positivo, recompensando las noches secas y usando técnicas como las gráficas con pegatinas para registrar los progresos. Este tipo de terapia tiene una tasa de éxito de hasta un 70 %. También puedes intentar que el niño se sienta responsable de sus actos sin castigarle, por ejemplo, animándole a cambiar las sábanas y ayudando con la lavadora. Evita hacerle sentir culpable.

Terapia del comportamiento: Siempre que sea posible, despertar al niño cada 4 horas para llevarle al baño puede terminar alentándole a despertar por su cuenta. Proponle que se imagine cómo se levanta para ir al baño para despertarse depués en una cama seca. El uso de despertadores también puede ayudar a modificar el comportamiento: un dispositivo con sensor de humedad que se activa cuando el niño empieza a orinar, despertándole para que pueda ir al baño. Se trata de la mejor opción para un niño de más de 7 años.

Medicamentos: Se puede prescribir desmopresina, imipramina u oxibutina a un niño que no responde a la terapia del comportamiento. La desmopresina es un antidiurético, la imipramina aumenta la capacidad de la vejiga y la oxibutina disminuye la contracción de los músculos de la vejiga.

CONSEJO

TÉCNICAS DE PREVENCIÓN

Aunque no siempre es posible prevenir que un niño moje la cama, los padres pueden tomar medidas para ayudarle a permanecer seco toda la noche. Esto implica estimular al niño felicitándole cuando se mantiene seco, en lugar de castigarlo cuando se orina en la cama, recordarle hacer pis antes de ir a dormir aunque no sienta necesidad y limitar la ingesta de líquidos por lo menos 2 horas antes de acostarse.

Felicitar a un niño después de una noche seca es un paso positivo en el tratamiento de la enuresis.

CONSEJO

REGULA LA HORA DE DORMIR

Acuesta al niño a la misma hora. Intenta que no se canse mucho durante la tarde y evita las actividades excitantes antes de dormir.

MEDICINA TRADICIONAL CHINA

Plantas: Para hacer una decocción, mezcla las hierbas de cada fórmula en una olla de cerámica y añade 3 tazas de agua. Lleva a ebullición y hierve a fuego lento durante 30 minutos. Cuela el líquido. La dosis para menores de 12 años es ½ taza 2 veces al día; para los niños mayores, 1 taza entera 2 veces al día.

- *Para tratar la enuresis asociada al cansancio, la palidez, las extremidades frías y la orina clara:* Mezcla 10 g de Tu Si Zi (semilla de cuscuta), 10 g de Yi Zhi Ren (cardamomo negro), 10 g de Dan Shen (raíz de salvia), 8 g de Wu Wei Zi (fruta de *Schisandra*), 10 g de Huang Qi (raíz de astrágalo) y 12 g de Shan Yao (batata china).
- *Para tratar la enuresis asociada a la orina amarilla y con el aumento de temperatura y sudoración durante el sueño:* Mezcla 8 g de Zhi Zi (fruto de *Gardenia jasminoides*), 8 g de Huang Bai (*Phellodendron*), 8 g de Chai Hu (*Bupleurum*), 8 g de Jin Qian Cao (*Lysimachia*), 10 g de Qu Mai (*Dianthus chinensis*), 5 g de Gan Cao (raíz de regaliz) y 8 g de Dan Pi (corteza de raíz de peonía).

Acupresión: Usa los puntos Shen Shu, San Yin Jiao y Guan Yuan para tratar la enuresis. El punto Guan Yuan está en el centro del abdomen, unos 7,5 cm debajo del ombligo. El punto Shen Su está en la parte inferior de la espalda, bajo la segunda vértebra lumbar y justo debajo de la parte superior del hueso de la cadera. El punto San Yin Jiao está en la parte interna de la pierna, unos 7,5 cm por encima del tobillo. Presiona estos puntos con la punta del dedo durante 1 o 2 minutos.

Dieta: Se recomiendan los alimentos que nutren el riñón, como la cebolleta, el pato, las ciruelas, las uvas, el anís estrellado, las mandarinas, la yema de huevo, las judías verdes, la soja negra, el trigo y el cordero.

HOMEOPATÍA

La enuresis tiende a ser una afección crónica y es mejor que la trate un homeópata profesional. Los siguientes remedios pueden ser útiles en el tratamiento de un episodio de enuresis en un niño que no suele mojar la cama y siempre que responda a una causa obvia. Si no hay una reacción positiva después de probar lo que parece ser un remedio indicado, consulta a un homeópata profesional. Si reaparecieran los síntomas de enuresis cuando el niño ha dejado de mojar la cama durante un tiempo, consulta a tu médico de familia por si obedeciera a una enfermedad del tracto urinario.

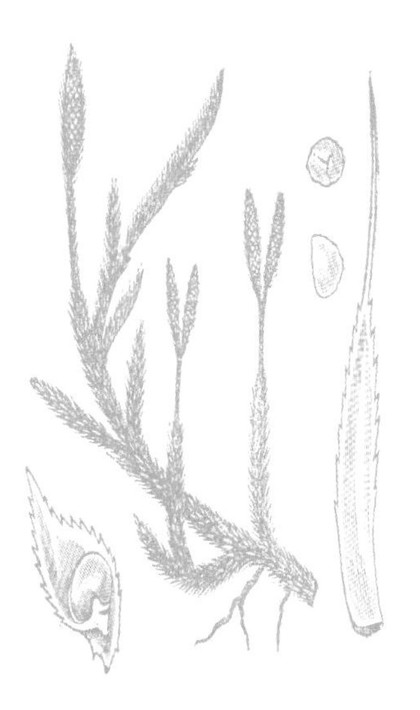

El *Lycopodium* proviene del pinillo.

Lycopodium: Este remedio es apropiado si la enuresis acompaña a un niño inseguro (aunque aparentemente sea extrovertido y mandón) durante un periodo de gran ansiedad anticipatoria. Sus preocupaciones a menudo giran en torno a la realización de un nuevo desafío, aunque una vez está todo en marcha, las cosas salen bien.

Pulsatilla: Este remedio puede ser útil cuando los síntomas surgen tras la convalecencia del sarampión o después de haberse mojado y enfriado. Tumbarse bocarriba al dormir hace irresistible la necesidad de orinar. Una vez ha mojado la cama, el niño se siente molesto, mimoso y necesita mucho consuelo.

FITOTERAPIA

La enuresis tiene muchas causas, desde afecciones médicas como la diabetes a alergias alimentarias.

Mezcla para la enuresis: Puede que tu fitoterapeuta te recomiende una tintura que contenga una mezcla de todas o alguna de estas hierbas. La seda de maíz tiene un sabor dulce y calma y cura el tracto urinario. El plátano es ligeramente astringente, antiinflamatorio y calmante para el tracto urinario. Además es rico en vitamina K, betacaroteno, calcio y carbohidratos, lo que lo convierte en un suplemento muy nutricional. La avena es una planta suave y calmante que tonifica y reequilibra el sistema nervioso. Diluye la tintura en agua o zumo según las instrucciones de tu fitoterapeuta.

HIPERACTIVIDAD Y TDAH

SÍNTOMAS

- Hiperactividad.
- Dificultad para concentrarse.
- Inquietud.
- Torpeza.
- Comportamiento espontáneo y poco reflexivo.
- Necesidad de ser el centro de atención.

DIAGNÓSTICO

TDAH hace referencia a dos grupos distintos de síntomas asociados: la hiperactividad (problemas de comportamiento) y el déficit de atención (problemas de aprendizaje). La mayoría de los afectados tiene una mezcla de los dos, pero algunos presentan solo un síntoma. El TDAH puede empezar a manifestarse a muy temprana edad. Los afectados son inquietos, a menudo torpes, siempre en danza y en busca de atención. Los profesores los consideran desordenados, desorganizados y olvidadizos. Les cuesta mantenerse quietos o concentrarse, así que el aprendizaje es a menudo un reto. La causa no está clara, ya que puede involucrar un gran número de factores. La genética, el estrés y la dieta pueden contribuir al problema.

OBJETIVOS DEL TRATAMIENTO

Solo un psiquiatra infantil, un psicólogo o un pediatra pueden diagnosticar el TDAH. El tratamiento debe incluir la gestión del comportamiento, asesoría o psicoterapia, ayuda especial en la escuela y, posiblemente, medicamentos.

MEDICINA CONVENCIONAL

Terapia del comportamiento: Las estrategias que ayudan a gestionar la hiperactividad incluyen el refuerzo positivo, detener al niño cuando el comportamiento sea inaceptable, estableciendo contacto ocular durante el discurso, y permitir la expresión infantil de la actividad en un ambiente seguro.

Metilfenidato: El tipo de medicación que se emplea para tratar el TDAH es psicoestimulante. La elección más frecuente es el metilfenidato. Este medicamento es adictivo y tiene efectos secundarios como la pérdida de apetito, el insomnio y el retardo en el crecimiento.

Lisdexanfetamina: La lisdexanfetamina fue aprobada recientemente para niños de 6 años en adelante. Se trata de un estimulante de acción prolongada con menor probabilidad de generar dependencia.

Atomoxetina: La atomoxetina es un medicamento no adictivo que, en general, tiene efectos secundarios menos graves.

Modificaciones en el estilo de vida: Aunque la opinión oficial es que la dieta no tiene efectos en la hiperactividad, muchos médicos discrepan. La dieta Feingold, que elimina aditivos y ciertos grupos de alimentos, ha sido investigada en profundidad y puede merecer la pena. Algunos suplementos pueden ayudar a disminuir la hiperactividad. Estos son el aceite de pescado en una dosis de 1 a 4 g diarios, un complejo de vitaminas B y el magnesio. La taurina, la tirosina y el triptófano también pueden ayudar a que el cuerpo se relaje.

Los niños con TDAH encuentran difícil permanecer quietos o concentrarse.

MEDICINA TRADICIONAL CHINA

Plantas: Mezcla 12 g de Chai Hu (*Bupleurum*), 15 g de Bai Shao (raíz de peonía blanca), 18 g de Fuling (poria), 12 g de Suan Zhao Ren (semilla de azufaifa china), 30 g de Zhen Zhu Mu (madreperla), 30 g de Dai Zhe Shi (hematita), 15 g de Di Huang (dedalera china), 12 g de Shan Zhu Yu (cereza cornalina), 15 g de Shan Yao (batata china), 12 g de Ze Xie (rizoma de alisma), 12 g de Dan Pi (corteza de la raíz de peonía) y 12 g de Sang Shen (mora). Pon las hierbas en una olla de cerámica y añade 3 tazas de agua. Hierve a fuego lento durante 30 minutos. Cuela y dale a tu hijo 1 taza 2 veces al día.

Sang Shen es la fruta de la morera.

Acupresión: Presiona el punto Nei Guan, situado en el centro de la muñeca por el lado de palma, unos 5 cm bajo el pliegue. El punto San Yin Jiao está en el centro de la parte interna de la pierna, unos 7,5 cm por encima del hueso del tobillo. Presiona estos puntos durante 1 minuto.

Dieta: La terapia dietética china recomienda incluir alimentos calmantes y refrescantes. Por ejemplo, manzanas, cebada, pepinos, berenjenas, judías mungo, peras, mandarinas, espinacas, fresas, regaliz, mejorana y menta. Prepara comidas que ayuden a dormir y tengan un efecto relajante, como la manzanilla o el arroz con leche. Procura que siga un ritmo de comidas y una dieta equilibrada que incluya vegetales frescos para que la actividad intestinal sea regular.

Las manzanas y las mandarinas son calmantes y refrescantes.

HOMEOPATÍA

La homeopatía puede desempeñar un papel muy positivo en el tratamiento de la hiperactividad y el TDAH, pero se obtendrán mejores resultados consultando a un homeópata profesional. Algunos homeópatas se especializan en el tratamiento de niños con este cuadro, así que puedes encontrar un profesional con esta formación y experiencia. Incluso si no es así, generalmente un homeópata es capaz de tratar este tipo de cuadro, pero necesitará una visión amplia de la salud emocional, mental y física de tu hijo antes de seleccionar la prescripción homeopática más adecuada. Cuando el tratamiento es eficaz, el estado general de la salud del niño mejora, y los niveles de ánimo y energía se vuelven más estables.

CONSEJO

ÁCIDOS GRASOS ESENCIALES

Los alimentos ricos en ácidos grasos esenciales nutren el sistema nervioso y se ha demostrado que ayudan con la hiperactividad. Entre esos alimentos se encuentran el salmón, las sardinas, la trucha, las semillas de lino molidas, las nueces y las almendras.

FITOTERAPIA

Tisana relajante, fórmula 1: Ligeramente sedante y nutritivo, reduce los espasmos, suaviza la digestión y calma el espíritu, sobre todo en los picos de estrés. Según te recomiende tu naturista, puede incluir semillas de avena, manzanilla, lavanda y raíz de malvavisco. Añade un poco de miel para endulzarlo si es necesario. Se recomienda tomar a diario para tratar la hiperactividad.

Tisana relajante, fórmula 2: Calma los nervios, seda ligeramente para inducir el sueño y la relajación, alivia los espasmos y la inflamación, y facilita la expulsión de los gases. Según indicaciones de tu naturista, puede incluir pasiflora seca, hierba gatera, bálsamo de limón y manzanilla. Añade un poco de miel para endulzarlo si es necesario.

VARICELA

SÍNTOMAS

- Sensación de desánimo o mal humor.
- Dolor de cabeza, garganta irritada y malestar general.
- Temperatura elevada y fiebre leve.
- Pérdida de apetito.
- Glándulas linfáticas hinchadas.
- Erupción de pequeñas vesículas rojas en el cuero cabelludo y la cara, que se extiende al resto del cuerpo.

La varicela se transmite por contacto directo y es más contagiosa antes de aparecer el sarpullido.

OBJETIVOS DEL TRATAMIENTO

Aliviar los síntomas del picor y prevenir el rascado y las cicatrices.

DIAGNÓSTICO

Enfermedad viral muy contagiosa que afecta más a niños menores de 10 años. Se manifiesta con una erupción de pequeñas vesículas rojas que aparecen en el cuero cabelludo y en el rostro, a veces en el torso, y luego se expanden al resto del cuerpo. Las vesículas dan lugar a ampollas que pican y que pueden dejar cicatriz si se rascan. Pasados unos días, se forman costras amarillas que a la larga se caen.

La única forma de contagio es a través del contacto directo con alguien que tenga varicela. El periodo de incubación dura de 10 a 21 días, y el paciente es más infeccioso antes de que aparezca el sarpullido y hasta que las ampollas han formado costra. Una vez se ha tenido la enfermedad, se es inmune de por vida.

MEDICINA CONVENCIONAL

El tratamiento para la varicela generalmente sirve para aliviar los síntomas mientras el virus sigue su curso. Como excepción importante, cualquier recién nacido cuya madre haya padecido la varicela de 5 días antes a 2 días después del parto, debe recibir inmunoglobulina antivaricela.

Reducir la fiebre: Se puede administrar paracetamol para bajar la fiebre. No se debe dar aspirina a los menores de 16 años, ya que se ha relacionado con el síndrome de Reye, una enfermedad letal que afecta al hígado entre otros órganos.

Aliviar el picor: Se puede usar dimedrol, ciproheptadina o hidroxicina para aliviar el picor. Asimismo puede ser eficaz tomar relajantes baños calientes con bicarbonato de sodio o con un emoliente. Las lociones tópicas de calamina, manzanilla o caléndula también son calmantes.

Antivirales: Se puede usar aciclovir para aminorar los síntomas en adolescentes y adultos. También es recomendable para personas inmunocomprometidas (aquellas cuyos sistemas inmunitarios no funcionan bien), bajo tratamiento previo de esteroides, con serias infecciones pulmonares o que sufran desórdenes crónicos en la piel. También sirve valaciclovir o famiciclovir.

Antibióticos: Se prescriben si aparece otra infección secundaria en la piel. Normalmente son los antibióticos que tratan la bacteria del estreptococo.

CONSEJO

USA BICARBONATO DE SODIO

El bicarbonato de sodio es un remedio popular para controlar el picor que causa la varicela. Añade un poco de bicarbonato a un vaso de agua y lava la zona afectada con una esponja. El bicarbonato se seca sobre la piel y vuelve menos molestas las lesiones.

MEDICINA TRADICIONAL CHINA

Plantas: Mezcla 5 g de Jin Yin Hua (flor de madreselva), 5 g de Fang Fen (raíz de *Ledebouriella*) y 3 g de Bo He (*Mentha arvensis*) en una tetera. Añade agua hirviendo y deja que la infusión tome cuerpo durante unos minutos. La tisana se bebe a lo largo del día durante un periodo de 10 a 30 días.

Acupresión: Trata los puntos Tai Yang, Hegu y Feng Chi con una presión suave durante 1 minuto cada día. El punto Tai Yang se sitúa en la sien, en la depresión entre el extremo lateral de la ceja y el párpado. El punto Hegu está en el dorso de la mano, entre el pulgar y el índice. Presiona este punto en las 2 manos. Los puntos Feng Chi están en la parte posterior de la cabeza, en la base del cráneo y unos 5 cm a cada lado de la columna.

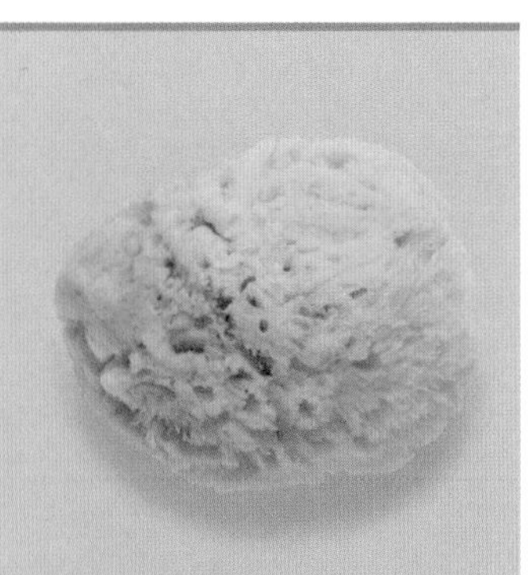

CONSEJO

DALE BAÑOS CON ESPONJA

Evita bañar a tu hijo durante la fase febril de esta enfermedad, ya que los baños calientes pueden irritar aún más el sarpullido. En su lugar, báñalo con una esponja en una habitación cálida, asegurándote de que no coja frío en el proceso. Una vez las vesículas estén secas, ten cuidado de no arrancarlas al secarlo con la toalla.

HOMEOPATÍA

Cualquiera de los siguientes remedios puede ser útil para aliviar el picor y acortar la duración de un episodio agudo.

Aconitum: Este remedio puede ser eficaz durante el primer estadio febril de la varicela. Durante la noche se puede sentir angustia y miedo, y la fiebre puede venir acompañada de sed y sequedad en la piel. Usa *Aconitum* antes de que aparezca el sarpullido. Cuando ya haya aparecido tendrás que cambiar de tratamiento.

Belladona: Se puede usar para aliviar la fiebre asociada con la fase temprana de la varicela que se desarrolla rápidamente. Los síntomas son fiebre alta, piel enrojecida que irradia calor e irritabilidad. Una vez ha surgido el sarpullido, elige otro remedio.

Antimonium tartarum: Si la erupción tarda en aparecer, y la varicela se asocia con una tos persistente, usa *Antimonium tartarum.* Cuando surge la erupción, las vesículas son grandes, tienen un matiz azulado y dejan una marca roja al curarse. Hay una capa saburrosa sobre la lengua. Abrigarse mucho o los baños empeoran los síntomas, mientras que el contacto con el aire frío y toser proporciona sensación de alivio.

Rhus toxicodendron: Usa *Rhus tox.* para tratar la erupción que pica por la noche, causando angustia. Las vesículas pueden hacer ampolla al principio; después forman costra. Tumbarse y desvestirse aumentan la irritación, mientras que el roce y cambiar de posición proporcionan un alivio temporal.

Pulsatilla: En la última etapa de la varicela, cuando las vesículas tardan en aparecer o persisten más de lo esperado, usa pulsatilla. Los síntomas son sensación de frío e incomodidad en ambientes cálidos, boca seca y lengua saburrosa, pero sin sensación de sed. Los niños normalmente alegres se pueden volver quejumbrosos y mimosos cuando sufren varicela.

FITOTERAPIA

El mayor trastorno que causa la varicela es, por supuesto, el picor. La fitoterapia puede ser beneficiosa para aliviar este síntoma.

Avena: Esta planta es la primera opción para tratar el picor, ya que es barata, se encuentra con facilidad y no tiene efectos secundarios conocidos. Normalmente la varicela afecta a grandes áreas del cuerpo, así que lo más efectivo es un baño con avena. Añade aproximadamente 1 taza de avena finamente molida (por ejemplo, con el molinillo de café o cómprala ya molida) a una bañera de agua caliente. El baño permitirá que la avena cubra toda la piel y alivie el picor y la irritación. Este método es particularmente eficaz, porque las lesiones de la varicela se pueden extender mucho y a lugares recónditos, lo que dificulta el tratamiento tópico.

Raíz de bardana: Hierba de efecto suavizante sobre la piel. Prueba a añadir un puñado de raíz de bardana a un baño de avena para potenciar su efecto.

Saúco: El jugo de saúco puede fortalecer el sistema inmunitario en la lucha contra el virus. Encontrarás fórmulas específicas en herbolarios. El jugo de saúco crudo puede ser tóxico y no se recomienda. Aunque la cocción de la baya destruye la mayor parte de esas toxinas, no se considera seguro; el jugo comercial no tiene el problema de la toxicidad. Se puede tomar por vía oral de 3 a 5 días al inicio de los síntomas. Se han reportado casos de diarrea y vómitos por la ingesta de jugo de saúco, aunque este efecto secundario se reduce en gran medida con las fórmulas específicas.

BUSCA AYUDA MÉDICA

Llama al médico inmediatamente si el paciente aún se siente mal cuando las costras se han curado, tiene dolores de cabeza o se siente somnoliento. Inusualmente, la varicela puede causar encefalitis (inflamación del cerebro).

La raíz de bardana puede ayudar a calmar la piel.

PAPERAS

SÍNTOMAS

- Sensación de malestar.
- Temperatura elevada.
- Glándulas parótidas y cuello inflamados.
- Rostro hinchado.
- Dolor de oídos.
- Incapacidad para masticar o tragar.
- Náuseas.
- Articulaciones inflamadas.

DIAGNÓSTICO

La mayoría de los niños están vacunados contra esta enfermedad típicamente infantil. Las paperas son una infección vírica que produce hinchazón y dolor en las glándulas parótidas del rostro y el cuello. El virus es contagioso durante una semana antes de que los síntomas aparezcan. Los primeros síntomas son fiebre alta, dolor de cabeza y pérdida de apetito. Las glándulas se van hinchando durante un periodo de 1 a 3 días.

Las posibles complicaciones implican la infección de otros órganos. En el caso de hombres adultos, la enfermedad infecta los testículos, causando inflamación y fiebre alta. Otra de las complicaciones más habituales de las paperas es la meningitis, que puede aparecer de 3 a 10 días después del inicio de las paperas.

MEDICINA CONVENCIONAL

El tratamiento primario de las paperas es a través de la vacunación. Por lo general, el de las paperas es un virus benigno y podemos dejar que siga su curso natural (lo que normalmente dura 2 semanas). Como en cualquier otra enfermedad vírica, descansar y beber muchos líquidos es esencial para el tratamiento.

Paracetamol: La primera opción farmacológica para el tratamiento de las paperas es el paracetamol, ya que puede bajar la fiebre y aliviar el dolor.

Para tratar la inflamación testicular: En adolescentes afectados de paperas, en especial los hombres, se puede dar un intenso dolor articular y la inflamación de los testículos. A veces se prescribe prednisolona para tratar esta complicación. Si se presenta un dolor importante en los testículos, se puede comprar un suspensorio testicular (de venta en farmacias) para reforzar el escroto.

OBJETIVOS DEL TRATAMIENTO

Las paperas no tienen cura. El tratamiento comprende descanso y el alivio de los síntomas para facilitar en lo posible la vida del paciente hasta que el virus haya remitido.

Descansar y beber muchos líquidos le ayudará a recuperarse.

CONSEJO

APLICA UNA COMPRESA SOBRE LAS GLÁNDULAS INFLAMADAS

Una compresa fría o caliente aliviará la incomodidad de la inflamación. Los niños deben permanecer en cuarentena hasta que la inflamación desaparezca.

MEDICINA TRADICIONAL CHINA

Útil para controlar la fiebre, Ban Lan Gen proviene de la raíz de la planta isatis.

Plantas: Mezcla 8 g de Jin Yin Hua (flor de madreselva), 3 g de Ye Ju Hua (flor de crisantemo salvaje), 6 g de Jing Jie (tallos y capullos de *Schizonepeta*) y 12 g de Ban Lan Gen (raíz de isatis). Cuece estas hierbas en 2 tazas de agua durante 5 minutos. Cuela el líquido frío y dáselo a beber.

Acupresión: Usa el pulgar para presionar los puntos Hegu, Qu Chi y San Yin Jiao con presión fuerte durante 1 minuto, 2 o 3 veces al día. El punto Hegu está en el dorso de la mano, entre el pulgar y el índice. Con el codo flexionado, el punto Qu Chi se encuentra en la parte externa del brazo, en el extremo lateral del pliegue. El punto San Yin Jiao se localiza en la parte interna de la pierna, unos 7,5 cm sobre el tobillo.

Dieta: Procura que ingiera mucha agua cada día, así como verduras frescas como nabos, apio, espinacas, berenjenas, portulaca y calabaza china o sopas de judía mungo. El melón amargo, la sandía, las judías adzuki, el tofu y los rábanos son también buenas elecciones. Evita los alimentos con propiedades de calor, como la ternera, el cordero, las hojas de mostaza o el jengibre. Además, evita los fritos y la comida grasa en general, ya que producen más calor.

HOMEOPATÍA

Cualquiera de los siguientes remedios puede ayudar a minimizar las molestias de un episodio agudo de paperas:

Jaborandi: Este remedio es apropiado si las glándulas inflamadas y doloridas impiden que el niño mueva la mandíbula. De ese modo, hablar, comer y beber pueden causar mucha inquietud. También es probable que el paciente esté febril, con el rostro enrojecido y muy sediento.

Las hojas de la planta jaborandi se usan para crear el remedio homeopático.

Phytolacca: Este remedio puede ayudar si la rigidez y la tensión en las glándulas hacen difícil tragar, situación que empeora por una persistente sensación de sequedad en la garganta, que se nota especialmente al hablar o comer.

Mercurius: Este remedio puede aliviar los síntomas persistentes una vez la fiebre ha desaparecido. Estos síntomas son un aumento de la cantidad de saliva, que causa babeo por la noche, y un desagradable sabor metálico en la boca. La sudoración, la inquietud y el malestar suelen ser más frecuentes por la noche.

FITOTERAPIA

Saúco: Esta planta puede ser eficaz en el tratamiento de las paperas. Para adquirir fórmulas específicas de jugo de saúco, acude a un herbolario. Se toma por vía oral, al inicio de los síntomas, de 3 a 5 días. El jugo de saúco crudo puede ser tóxico y no se recomienda su uso. Aunque la cocción de la baya destruye la mayor parte de esas toxinas, no se considera seguro. El jugo comercial no tiene el problema de la toxicidad. Se puede tomar por vía oral al inicio de los síntomas de 3 a 5 días. Se ha informado de casos de diarrea y vómitos por el uso de jugo de saúco, aunque este efecto secundario se reduce en gran medida con las fórmulas específicas.

Ajo: Esta hierba tiene propiedades antivirales y generalmente potencia el sistema inmunitario. Tu fitoterapeuta puede recomendarte unas cápsulas de ajo o distintas preparaciones de dientes de ajo, en miel o té, ligeramente cocidos o crudos.

PICADURAS DE ABEJA Y DE AVISPA

DIAGNÓSTICO

Las picaduras de abeja y de avispa causan una o más protuberancias rojas que normalmente pican y a veces duelen. Los aguijones inyectan un veneno que causa un dolor agudo al atravesar la piel y que posteriormente da paso a un dolor sordo. El organismo responde a la picadura tratando de eliminar el veneno del sistema, lo cual suele producir enrojecimiento e inflamación. También es probable que escueza mucho el área en torno a la picadura. Las picaduras de abeja y de avispa solo son graves si existe alergia al veneno de los insectos. Conviene recordar que hay más probabilidades de que causen una reacción alérgica que las picaduras de otra clase de insectos. Las reacciones pueden ser moderadas o graves, o incluso potencialmente mortales, y además las picaduras pueden infectarse si se rascan. En caso de que notes tumefacción y urticaria, consulta a tu médico.

SÍNTOMAS

- Dolor punzante que se convierte en un dolor palpitante.
- Piel enrojecida, irritada.
- Sensibilidad localizada.
- Hinchazón.
- Ocasionalmente, inflamación del interior de la boca que causa dificultades respiratorias.

Siempre que no haya reacción alérgica, el dolor de las picaduras de abeja o de avispa se puede aliviar de distintas formas.

OBJETIVOS DEL TRATAMIENTO

Asegurar que no hay ninguna alergia que ponga en peligro la vida y resolver los síntomas de dolor, picor e incomodidad.

MEDICINA CONVENCIONAL

El tratamiento convencional consiste en reducir el dolor y tratar cualquier reacción alérgica o efectos secundarios causados por el veneno.

Retira el aguijón: Si el aguijón aún está en la piel, retíralo con delicadeza. No lo aplastes ya que con ello liberarías el resto de veneno acumulado en el depósito del aguijón.

Tratamientos tópicos: Aplica una bolsa de hielo sobre la picadura sin presionar la zona afectada. También puedes usar un analgésico tópico como la lidocaína en espray, o un gel de aloe vera, para aliviar el dolor. Un emplasto de bicarbonato de sodio y agua puede reducir la molestia de inmediato.

Antihistamínicos: Si el área está muy inflamada e irritada, se puede recurrir a la difenhidramina por vía oral. Los niños pueden tomar 1 mg por cada kilo de peso.

Antibióticos: Si la picadura se infecta puede convertirse en celulitis, que es la inflamación del tejido conectivo subcutáneo. Este cuadro se trata con antibióticos, que combaten la bacteria del estafilococo.

Tratamiento de la reacción alérgica: Si el niño afectado presenta signos de *shock* o dificultad respiratoria, busca ayuda médica de inmediato. Los pacientes pueden recibir oxígeno a través de una mascarilla respiratoria si es necesario. Otra alternativa de tratamiento consiste en administrar salbutamol para tratar la sibilancia y un esteroide intravenoso como la metilprednisolona; también, antihistamínicos por vía intravenosa y epinefrina, una hormona que puede combatir las toxinas que libera el cuerpo durante una reacción alérgica. Según la gravedad de la reacción, se aplicará una o todas estas medidas. Las reacciones alérgicas moderadas se tratan también con epinefrina, que se puede administrar con un autoinyector (disponible con receta).

BUSCA AYUDA

A veces, una reacción alérgica puede provocar que se inflame la boca. Busca atención médica inmediata si tu hijo presenta mareos, náuseas, dolor en el pecho, sofocos o dificultad respiratoria tras la picadura de una abeja o una avispa.

Lo primero que hay que hacer es retirar el aguijón de la picadura si aún se encuentra en la piel.

MEDICINA TRADICIONAL CHINA

PLANTAS

- *Jin Yin Hua tea:* Mezcla 5 g de Jin Yin Hua (flor de madreselva) y 3 g de Bo He (mentha arvensis) en una tetera. Añade agua hirviendo y deja que infusione durante unos minutos. Ve dándole al niño esta tisana para que la beba a lo largo del día.
- *Baño herbal:* Mezcla 15 g de Jin Yin Hua (flor de madreselva) y 15 g de Jing Jie (tallos y capullos de *Schizonepeta*). Hierve estos ingredientes en 5 tazas de agua durante 5 minutos. Cuela el líquido y añádelo al baño de tu hijo. Sumérgelo en este baño herbal una vez al día hasta que el dolor desaparezca.

Comer peras puede ayudar a fortalecer el sistema inmunitario.

Acupresión: Presiona el punto Tai Yang, situado en la sien, en la depresión entre el extremo externo de la ceja y el párpado. También el punto Hegu, localizado en el dorso de la mano entre el pulgar y el índice. Igualmente, resulta beneficioso presionar con suavidad durante 1 minuto cada uno de los puntos Feng Chi, situados en la parte posterior de la cabeza en la base del cráneo, unos 5 cm a cada lado del punto central, pueden ayudar. Presiona con suavidad cada punto durante 1 minuto.

Dieta: Promueve una dieta suave que fortalezca el sistema inmunitario, con verduras de hoja verde, berenjenas, rábanos, judía mungo, melón amargo, portulaca y pera. Evita el marisco y los alimentos grasos y especiados. Sirve frutas y vegetales frescos como frutos rojos, plátanos, judías rojas y brotes de bambú.

HOMEOPATÍA

La intervención homeopática puede ser de gran ayuda para tratar las picaduras de abeja y de avispa si no hay reacción alérgica. Si la hubiera, busca un tratamiento de medicina convencional urgente.

Ledum palustre: Si la zona afectada se siente fría y ligeramente entumecida, pero mejora aplicando compresas frías o tomando un baño frío, prueba *Ledum*. La zona afectada estará enrojecida e hinchada, con sensación de picazón.

El romero salvaje tiene propiedades antisépticas y se emplea para elaborar *Ledum palustre.*

Apis mellifica: Este remedio está recomendado para tratar picaduras que presentan el clásico síntoma de inflamación localizada. Es probable que la zona afectada aparezca protuberante e hinchada, que empeore al contacto con el calor y que se alivie cuando se le aplica frío.

Urtica urens: Usa *Urtica urens* si la picadura produce una potente sensación de quemazón en torno a la zona afectada. También hay picor localizado y una molestia aguda que se agrava al contacto con el aire o el agua fríos. Este remedio también resulta eficaz para aliviar la sensación persistente de picor que se niega a desaparecer tras la picadura de una abeja.

Urtica urens se puede tomar en tintura o como remedio homeopático.

CONSEJO

CALMA CON *URTICA URENS*

Las picaduras que causan picor breve o sensación de ardor se pueden calmar aplicando un algodón empapado en una solución diluida de tintura de *Urtica urens*. Aplícala las veces que quieras, siempre y cuando aprecies una mejoría y la inflamación desaparezca poco a poco. Este tratamiento se puede combinar con la toma de *Urtica urens* como remedio homeopático.

FITOTERAPIA

Árnica: Excelente remedio para usar sobre la piel tras la picadura de una abeja o una avispa. Se recomienda aplicar una cataplasma o una compresa de flores de árnica, preparada por tu fitoterapeuta, sobre la zona afectada. No debemos ingerir árnica salvo en diluciones homeopáticas. En ocasiones, como sucede con cualquier otra planta, puede aparecer dermatitis con el uso tópico de árnica. Suspende el tratamiento si esto sucede.

Borraja: Las hojas de borraja, frescas y secas, se pueden emplear para hacer una cataplasma para la zona afectada con el objetivo de detener el dolor, la rojez y la hinchazón. Aplica la cataplasma sobre la zona de 10 a 15 minutos; puedes cubrirla con plástico transparente y una venda encima para que no se desplace mientras el niño se mueva. No se debe ingerir la borraja sin purificar ni procesar, ya que contiene alcaloides de pirrolizidina que pueden resultar tóxicos para el hígado.

Una cataplasma de hojas de borraja puede calmar la piel.

SOBRE LOS AUTORES

MEDICINA CONVENCIONAL

Christine Gustafson, doctora en Medicina, tuvo una consulta privada de medicina integrativa en Alpharetta, Georgia, donde combinaba las terapias convencionales con las alternativas. Obtuvo el certificado de especialista en Medicina Holística y el graduado en el Programa de Medicina Integrativa en la Universidad de Arizona. Lamentablemente, falleció en agosto de 2012. Fue miembro de la Asociación Norteamericana de Medicina Holística y de la Asociación Norteamericana de Medicina Integrativa.

Elizabeth Board, doctora en Medicina, es diplomada por la Junta Norteamericana de Anestesiología y tiene los certificados de Medicina del Dolor y de Medicina Integrativa y Holística.

En 2014 se convirtió en médico certificado a través del Instituto de Medicina Funcional. Era íntima amiga y colega de la doctora Christine Gustafson. Es la fundadora y propietaria del Atlanta Functional Medicine, situado en Alpharetta, Georgia.

MEDICINA TRADICIONAL CHINA

Zhuoling Ren, doctora en Medicina Tradicional China, acumula 20 años de experiencia y es miembro de la AAIM. Es fundadora y presidente de la Fundación Norteamericana de Medicina Integrativa y del Instituto Chino de Medicina Tradicional China, que cuenta con clínicas en Mineápolis y en St. Paul (Minnesota). Antes de fundar el Instituto Chino, fue médica residente y jefa del Departamento de Acupuntura del Hospital Xiyuan en Pekín.

HOMEOPATÍA

Beth MacEoin es experta en Salud Materna Neonatal e Infantil, miembro de la Sociedad de Homeópatas y colegiada en el Northern College de Medicina Homeopática. Más tarde ejerció como profesional independiente. Tiene numerosas publicaciones en su haber y ha trabajado en varias ocasiones como asesora para revistas, periódicos y programas de televisión sobre temas generales de salud. También ha impartido un curso sobre terapias complementarias a los estudiantes de medicina en Newcastle, Inglaterra.

FITOTERAPIA

David Kiefer, doctor en Medicina, es médico de familia con amplia experiencia en medicina botánica e integrativa. Se ha especializado en etnobotánica de América Latina y en fitoterapia basada en pruebas. Sus actividades de investigación y docencia abarcan universidades y conferencias nacionales e internacionales. El doctor Kiefer completó una beca en el Centro de Arizona para la Medicina Integrativa, donde actualmente es profesor asistente clínico de Medicina, cargo que también ostenta en el Departamento de Medicina de Familia de la Universidad de Wisconsin.

ÍNDICE TEMÁTICO

CRÉDITOS

Marshall Editions quiere agradecer a las siguientes agencias y productores por facilitar las imágenes y permitir su inclusión en este libro.

9nong, Shutterstock.com, p. 72
A y N photography, Shutterstock.com, p. 24
aastock, Shutterstock.com, p. 104
Ailenn, Shutterstock.com, p. 94a
Albo003, Shutterstock.com, pp. 6tr, 10ad
Alexey, Poprotskiy, Shutterstock.com, p. 53
AlexussK, Shutterstock.com, p. 11ad
Alliance, Shutterstock.com, p. 108
Ammentorp Photography, Shutterstock.com, pp. 76, 101
Andresr, Shutterstock.com, p. 114b
Andrey_Popov, Shutterstock.com, p. 77
Angorius, Shutterstock.com, p. 123b
Balcerzak, Marcin, Shutterstock.com, pp. 95,133
Baranq, Shutterstock.com, p. 92
Barbone, Marilyn, Shutterstock.com, pp. 10ai, 97
Becker, Brooke, Shutterstock.com, p. 83a
Bikeriderlondon, Shutterstock.com, p. 118b
BLACKDAY, Shutterstock.com, p. 41a
Brandlhuber, Birgit, Shutterstock.com, p. 10bc
BrazilPhotos, Shutterstock.com, p. 41b
Canlas, Rommel, Shutterstock.com, 105
Click Images, Shutterstock.com, p. 88
Date, Phil, Shutterstock.com, p. 74
Dionisvera, Shutterstock.com, p. 35b
Dmitry, Maslov, Shutterstock.com, p. 99
Doglikehorse, Shutterstock.com, p. 27
Dubinchuk, Evgeny, Shutterstock.com, p. 45
Dutina, Igor, Shutterstock.com, p. 93
Dvande, Shutterstock.com, p. 70d
Edw, Shutterstock.com, p. 73
EvergreenPlanet, Shutterstock.com, p. 94b
ffolas, Shutterstock.com, pp. 10cbi, 98
Fotokostic, Shutterstock.com, p. 122b
g-stockstudio, Shutterstock.com, p. 61
GaudiLab, Shutterstock.com, p. 89
Gayvoronskaya_Yana, Shutterstock.com, p. 11bi
Guillem, Antonio, Shutterstock.com, p. 84
Hake, Claudia, Shutterstock.com, p. 34
Image Point Fr, Shutterstock.com, pp. 20, 28, 32, 36, 69b, 81a, 116
Images, Dragon, Shutterstock.com, p. 96
Images72, Shutterstock.com, p. 11cbc
indykb, Shutterstock.com, p. 107d
Iravgustin, Shutterstock.com, p. 123a
Irina, Opachevsky, Shutterstock.com, p. 118a
Iryna1, Shutterstock.com, p. 19a
iSiripong, Shutterstock.com, p. 11cbd
Jajaladdawan, Shutterstock.com, p. 102
jeep2499, Shutterstock.com, p. 115
Jennyt, Shutterstock.com, p. 26
JinKwon, Kim, Shutterstock.com, p. 30
Josef, Muellek, Shutterstock.com, p. 54a
JPC-PROD, Shutterstock.com, p. 25b
Kaewkhammul, Anan, Shutterstock.com, p. 62a
kaiskynet, Shutterstock.com, p. 79b
KAMONRAT, Shutterstock.com, p. 17
kanusommer, Shutterstock.com, p. 67
Kirsanov Valeriy Vladimirovich, Shutterstock.com, p. 90
Koturanov yrew, Shutterstock.com, p. 51b
Kovacs, Peter J., Shutterstock.com, p. 87
KPG Ivary, Shutterstock.com, p. 112
Kurkul, Shutterstock.com, p. 6ai, 43a
LanKS, Shutterstock.com, p. 10ac
Legend_tp, Shutterstockc.om, p. 37
LianeM, Shutterstock.com, pp. 7ac, 19b, 35a, 83b, 103b
Lightmood, Shutterstock.com, p. 18ad
Lim Yong Hian, Shutterstock.com, p. 57b
Lukienko, Svetlana, Shutterstock.com, p. 46
Lyjak, Blazej, Shutterstock.com, p. 66b
lzf, Shutterstock.com, p. 79a, 82a
Madlen, Shutterstock.com, p. 55
Makela, Mona, Shutterstock.com, p. 75
mama_mia, Shutterstock.com, p. 63
Marcinski, Piotr, Shutterstock.com, p. 13a
Markov, Georgy, Shutterstock.com, pp. 78, 91
Marsicano, Federico, Shutterstock.com, p. 44
masa44, Shutterstock.com, p. 119b
Melnik, Vladimir, p. 106a
Mikhail, Dudarev, Shutterstock.com, p. 64
Mimagephotography, Shutterstock.com, p. 16
Miriello, Marcella, Shutterstock.com, p. 49
Monkey Business Images, Shutterstock.com, p. 40, 54b, 57a
NicO_l, Shutterstock.com, p. 120
Olyina, Shutterstock.com, p. 59
PathDoc, Shutterstock.com, p. 60
Peterson, Richard, Shutterstock.com, p. 81b
Photographee.eu, Shutterstock.com, p. 65
Placzek, Grzegorz, Shutterstock.com, p. 12
Pleshkun, Maryna, Shutterstock.com, p. 7ad, 106b
Quintanilla, Shutterstock.com, p. 52
rangizzz, Shutterstock.com, p. 4
Rau, Heike, Shutterstock.com, p. 23
Sarraga, Karen, Shutterstock.com, p. 25a
SeDmi, Shutterstock.com, p. 62b
Shestakoff, Shutterstock.com, p. 10cac
Shoup, Steve, Shutterstock.com, p. 31b
Shufrych, Oksana, Shutterstock.com, pp. 11cai, 31a
Shutterstock.com, pp. 71, 107i, 110a
Sigur, Shutterstock.com, p. 51a
Simmax, Shutterstock.com, p. 11bd
Som, Somchai, Shutterstock.com, p. 10bi
SpeedKingz, Shutterstock.com, p. 100
SPL, p. 109
Spline_x, Shutterstock.com, pp. 10bd, 111
Swapan Photography, Shutterstock.com, p. 13b
Tab62, Shutterstock.com, p. 85
Takayuki, Shutterstock.com, p. 33
Tamor, Maxal, Shutterstock.com, p. 7ai, 66a
Tchara, Shutterstock.com, p. 14
Unpict, Shuttersock.com, p. 70i
Vo, Hong, Shutterstock.com, p. 69a
Wanchai, Shutterstock.com, 103a
Wave, Sea, Shutterstock.com, p. 47
Wichy, Shutterstock.com, p. 10cad
Wjarek, Shutterstock.com, p. 11cbi, 110b
Wonderisland, Shutterstock.com, p. 11ac, 58
Yuliya, Stolyevych, Shutterstock.com, p. 114a

El resto de ilustraciones e imágenes son propiedad de Marshall Editions. Aunque se ha tratado de citar a todos los colaboradores, la editorial quiere disculparse por cualquier omisión o error, y se compromete a realizar las oportunas correcciones en las siguientes ediciones del libro.

Código: a: arriba; c: centro; b: (a)bajo; i: izquierda; d: derecha